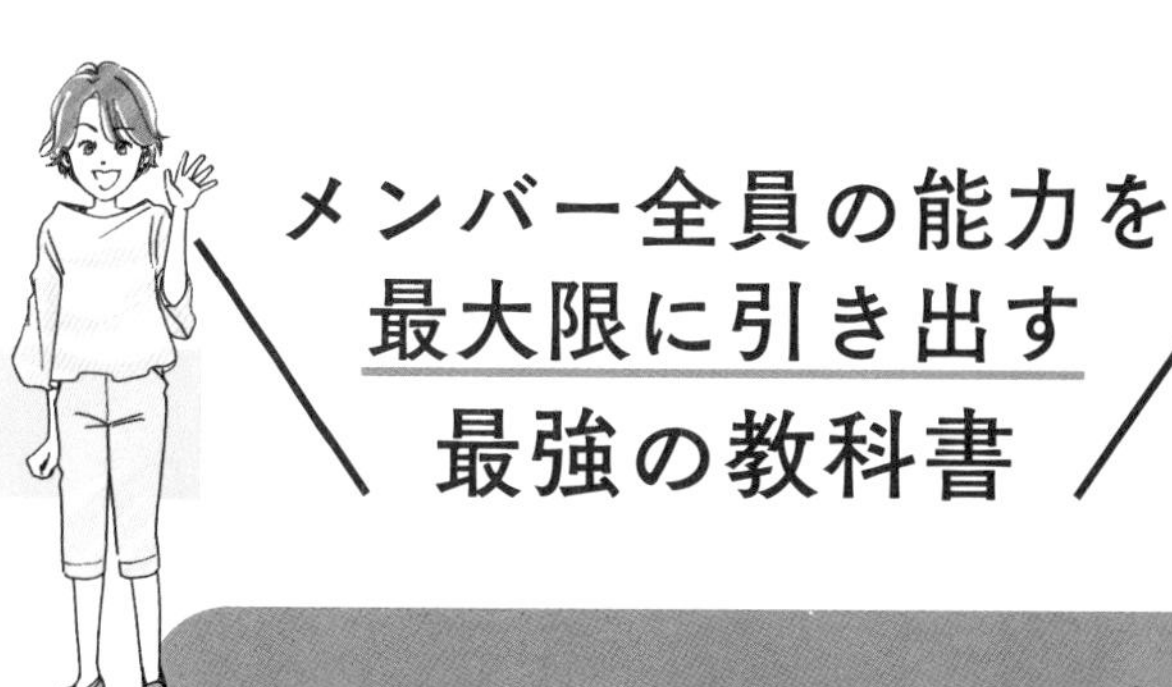

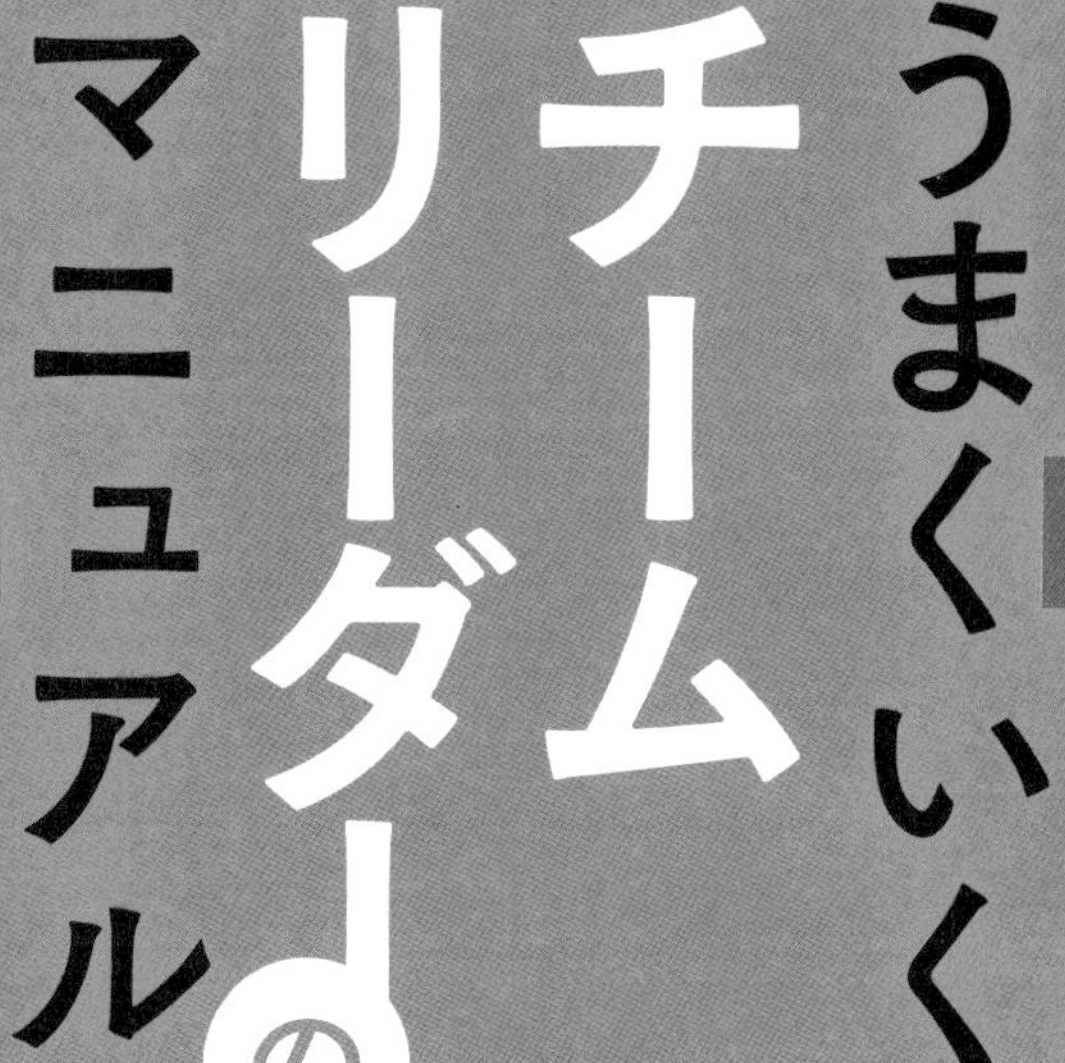

中村 青瑚
認識交流学会 学長

standards

あなたの部下は、どのタイプ？

この本を手に取っていただいたということは、少なからず、職場などで部下や後輩とのコミュニケーションに課題を感じていることだと思います。

突然ですが、いま、あなたの頭の中に浮かんでいる部下は、どんなタイプですか？

茶タイプ

仕事には熱心だけど、何か指示をすると、「なぜ、やるんですか？」と面倒くさい。「早くやれ」と言ってもなかなか動かない…。

青タイプ

仕事は素早くこなすけれど、思い切りに欠ける。愛想が悪く、神経質なところも。どこかピリついた空気をまとっている。

緑タイプ

仕事を正確にこなしてはくれるけれど、自分からは動かない指示待ち。もうちょっと自発的に働いてくれるといいんだけど……。

オレンジタイプ

周囲に優しいのはいいけれど、いつも遠慮がち。ちょっと叱るとすぐに落ち込んでしまう……。なかなか自分で決断できず、優柔不断。

赤タイプ

いつも偉そうで、相手への配慮が足りない。ときどき大きな仕事を成功させるけれど、準備が足りずに見ていてヒヤヒヤする。

黄タイプ

細かな作業が苦手で、面倒くさそうにしている。叱ってもあまり効果はなくいつもマイペース。明るいのはいいけれど……。

こんな部下に、どう接する？【茶タイプ】

2ページの【茶タイプ】の部下には、どのように接すればいいでしょうか。次の3択から考えてみてください。

❶「なぜその仕事が必要なのか」をしっかりと説明する
❷「この仕事ができたら評価アップ」とメリットを示す
❸「やってみればわかるから」とまずはやらせる

【茶タイプ】の人は、自分の「価値観」や「意見」「信念」を何より大切にします。仕事をした結果何を得られるかよりも、「なぜやるのか」のほうが大事。そこに納得しない限り、本気でその仕事に取り組むことはありません。

そうした観点から、正解は❶です。いちいち「なぜ仕事をするのか」を説明するのは面倒ですが、そこを理解してもらえば、誰よりも熱心に働いてくれます。

【茶タイプ】について詳しくは70ページ(茶タイプ:ディレクター)へ

こんな部下に、どう接する？【青タイプ】

2ページの【青タイプ】の部下には、どのように接すればいいでしょうか。次の3択から考えてみてください。

❶「この仕事の成功は君にかかってるんだ！」と情熱を伝える
❷「○日までに○○を」と端的に指示する
❸「あまり細かく考えなくていいから」と行動を促す

【青タイプ】の人は、「論理」「思考」「効率」で物事を考えます。ゴールから逆算してスケジュールを立て、最適な方法で仕事を進めようとします。仕事にかける情熱や周囲との調和はあまり意識せず、数字に表れる結果を出すことにこだわります。

そうした観点から、正解は❷です。はっきりとしたゴールさえ設定すれば、自分でその達成方法を考え、着実に成果を生み出してくれます。

【青タイプ】について詳しくは78ページ（青タイプ：コンセプチャー）へ

こんな部下に、どう接する？【オレンジタイプ】

3ページの【オレンジタイプ】の部下には、どのように接すればいいでしょうか。次の3択から考えてみてください。

❶「いつもありがとう」と感謝を伝えながら指示する
❷「君ならもっとやれる」とさらなる成長をうながす
❸「これをやっておいて」と具体的な指示だけをする

【オレンジタイプ】の人は、「調和」「心情」に重きを置きます。周囲に優しく接し、争いごとが嫌いです。自分自身が周囲の人に受け入れられているという実感も大事で、仲間はずれにされると不安を覚えます。

そうした観点から、正解は❶です。感情面での繋がりを大事にすることで気持ちよく働いてくれます。また、チーム全体の雰囲気の調整役としても動いてくれます。

【オレンジタイプ】について詳しくは86ページ（オレンジタイプ：アコーダー）へ

こんな部下に、どう接する？【黄タイプ】

3ページの【黄タイプ】の部下には、どのように接すればいいでしょうか。次の3択から考えてみてください。

❶「今日は○○と○○を」と細かく指示する
❷「この仕事ができたら評価アップ」とメリットを示す
❸「今日も調子いいね！」と気分を上げさせる

【黄タイプ】の人は、「楽しさ」「好き」「嫌い」を基準に判断します。仕事をする上でも、堅苦しい雰囲気や、行動を強制されるような環境では窮屈さを感じます。そうした状況が続くと、「もういいや」と投げやりになってしまうこともあります。

そうした観点から、正解は❸です。コミュニケーションの入り口だけ楽しい雰囲気をつくってあげれば、素直に指示を聞いてくれるようになります。

【黄タイプ】について詳しくは94ページ（黄タイプ：ムーバー）へ

こんな部下に、どう接する？【緑タイプ】

3ページの【緑タイプ】の部下には、どのように接すればいいでしょうか。次の3択から考えてみてください。

❶「これお願い」となるべくコミュニケーションを少なくする
❷「この書類を○時までに○枚」と細かく説明する
❸「ご飯でも行こうか」と仕事以外の対話を大事にする

【緑タイプ】の人は、「内省」「想像」を大切にします。自分の世界に入り込み、豊かなイマジネーションを発揮します。また、外側の世界の中で、自分で考えて動くということが、あまり得意ではありません。

そうした観点から、正解は❷です。何を、いつまでに、どのようにするのかを明確に伝えることで、誰よりも正確に仕事をこなしてくれます。

【緑タイプ】について詳しくは102ページ（緑タイプ：ソーサー）へ

こんな部下に、どう接する？【赤タイプ】

3ページの【赤タイプ】の部下には、どのように接すればいいでしょうか。次の3択から考えてみてください。

❶「まずはデータで考えて」と論理的に考えさせる
❷「君しかできないんだ！　頼む！」と特別感を演出する
❸「ここが足りない」と欠点を指摘して成長を促す

【赤タイプ】の人は、「行動」「刺激」を求めて動きます。まずは行動ありきで、準備や綿密な計画をあまり考えません。また、自信家な面もあり、自分の能力は人より高いと考えます。

そうした観点から、正解は❷です。行動力は、誰にも負けません。チームの切り込み隊長のような役割を果たせば、大きく貢献してくれます。

【赤タイプ】について詳しくは110ページ（赤タイプ：ブレイバー）へ

あなたはどのタイプ?

パーソナリティ思考タイプ診断

次ページからの質問に答えて、A〜Fの点数を計算してください。
次に、20ページの表の空欄にその点数を左から高い順に記入してください。
点数だけでも構いませんが、グラフにするとわかりやすくなります。
診断結果については、本文で詳しく解説します。

質問

●**各質問に自分が当てはまるかどうか、1〜5に○をつけてください。**
●「こうありたい」「こうあるべき」というような考え方ではなく、ありのままの気持ちで答えてください。

当てはまる
5
4
3
2
1
当てはまらない

インターネットでも診断できます
https://ctac.or.jp/simplept/

※著者が主催する「認識交流学」のセミナーまたは、インターネットで受講できる有料の本診断(https://ctac.or.jp/type/)では、より正確な診断を実施するため細かな設問を設けます。また、診断の算出方法も異なります。そのため、本書の簡易診断と本診断とでは結果が異なる場合があります。ご興味のある方は本診断の実施をお勧めいたします。

※診断内容や診断結果の一部または全部の、無断複製・転載を禁じます。ただし、上記サイトからのSNSへのシェアは除きます。

※インターネット上での診断は、予告なく終了する場合があります。

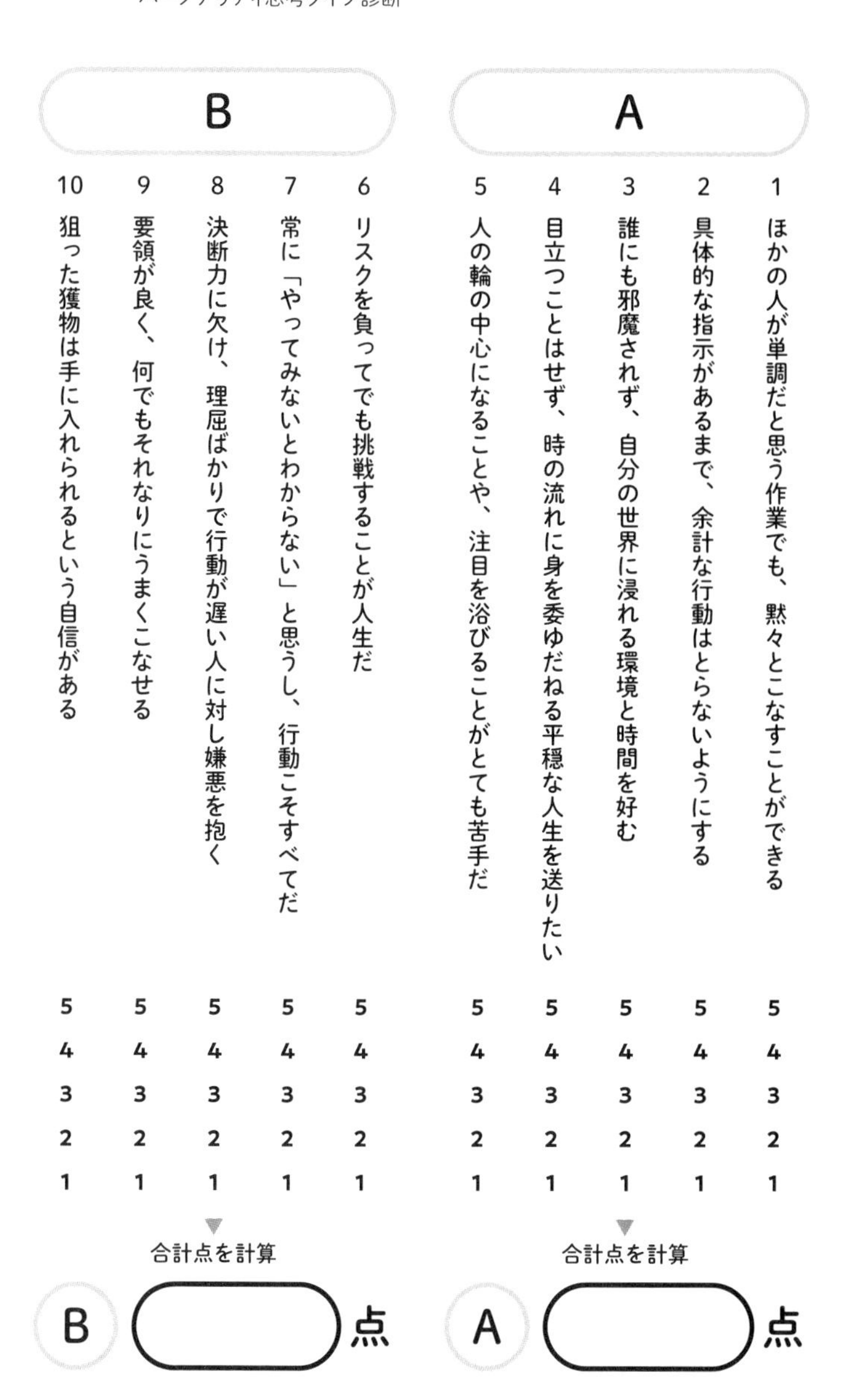

A

1 ほかの人が単調だと思う作業でも、黙々とこなすことができる　5 4 3 2 1

2 具体的な指示があるまで、余計な行動はとらないようにする　5 4 3 2 1

3 誰にも邪魔されず、自分の世界に浸れる環境と時間を好む　5 4 3 2 1

4 目立つことはせず、時の流れに身を委ゆだねる平穏な人生を送りたい　5 4 3 2 1

5 人の輪の中心になることや、注目を浴びることがとても苦手だ　5 4 3 2 1

▼
合計点を計算

A （　　　）点

B

6 リスクを負ってでも挑戦することが人生だ　5 4 3 2 1

7 常に「やってみないとわからない」と思うし、行動こそすべてだ　5 4 3 2 1

8 決断力に欠け、理屈ばかりで行動が遅い人に対し嫌悪を抱く　5 4 3 2 1

9 要領が良く、何でもそれなりにうまくこなせる　5 4 3 2 1

10 狙った獲物は手に入れられるという自信がある　5 4 3 2 1

▼
合計点を計算

B （　　　）点

C

11 自分の意見や価値観をとても大切にしている　5 4 3 2 1

12 自分の正義や信念に反することにはっきりと反論する　5 4 3 2 1

13 困難な状況でも、あきらめずに信念を貫けば、必ず道は開ける　5 4 3 2 1

14 あいさつや礼儀を重んじ、熱く語り合える人との交流を好む　5 4 3 2 1

15 お互いに信頼関係を構築することはとても大切だ　5 4 3 2 1

▼

合計点を計算

C 　　　点

D

16 すごくノリが良く、いつも冗談を言い合える人が好き　5 4 3 2 1

17 型にはまらず自由な創造性を求められる仕事が好き　5 4 3 2 1

18 理屈や裏付けなどを質問されると「めんどうくさい」と感じる　5 4 3 2 1

19 何事も好き／嫌い、やりたい／やりたくない、で判断する　5 4 3 2 1

20 重苦しい空気が流れていると、冗談を言いたくなる　5 4 3 2 1

▼

合計点を計算

D 　　　点

E

21 有益な情報や考え方を共有できる相手を好む
5 4 3 2 1

22 物事が計画通り進まないことに強いストレスを感じる
5 4 3 2 1

23 情報を集めて論理的に分析し、課題に取り組むことが得意だ
5 4 3 2 1

24 そのときの感情だけで物事を判断する人が理解できない
5 4 3 2 1

25 努力をしても、成果を出せなければまったく意味がない
5 4 3 2 1

合計点を計算

E [　　] 点

F

26 ホッとする時間や、癒される空間を好む
5 4 3 2 1

27 仲の良い友達と、他愛もないおしゃべりをするのが好き
5 4 3 2 1

28 周囲に受け入れられていないと感じると、とても不安になる
5 4 3 2 1

29 他人から必要とされ、大切にされたい。周りにもそうしたい
5 4 3 2 1

30 互いを思いやる親密な交友関係が、何よりも大切だと思う
5 4 3 2 1

合計点を計算

F [　　] 点

あなたのパーソナリティタイプ

※同じ点数がある場合は、(F→E→D→C→B→A) の順で優先してください。
例：BとDが同点だった場合、Dを左に並べます。

※「タイプ」については66ページで説明するので、空欄のままにしておいてください。

パーソナリティのサンプル（著者の場合）

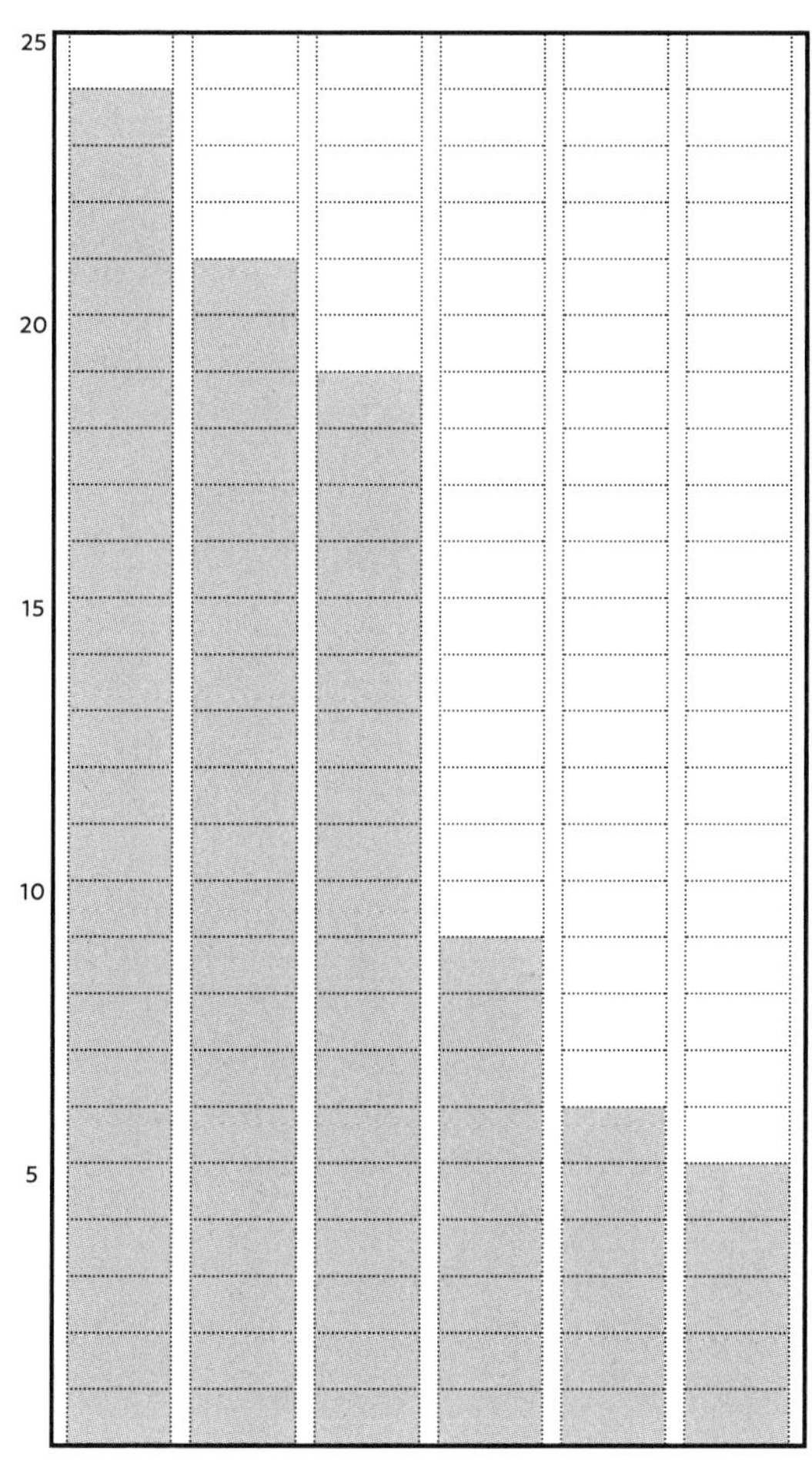

A～F／点数	E/24	B/21	D/19	C/9	F/6	A/5
タイプ						

※著者の場合、タイプ欄に何が入るかは、このまま読み進めて、69ページをご覧ください。

はじめに

チームリーダーは、いろいろと大変です。
上司からは高い目標を押し付けられ、達成できなければ自分の評価が下がる。
では、みんなで成果を出そうと思っても、うまくいかない。

一生懸命やってはくれるけれど、結果に結びつかない人。
何を言っても本気にならず、仕方なさそうに仕事をする人。
結果は出すけれど愛想が悪く、いつも不機嫌そうに働く人。
常に周囲に気を使い、思い切りに欠ける人
何度も何度も同じ失敗を繰り返す人
何をするにも指示待ちで、主体性を感じられない人

そんなメンバーたちをまとめ上げて、同じ方向を向かせて、みんなで協力して目標を達成する。しかも、最近は「心理的安全性の高いチームが大事」とも言われ、みん

ながが働きやすい環境をつくらなければいけない。

こんな状況で、リーダーの悩みはなくなることがありません。みんな思うように働いてくれない。腹が立っても怒ってはいけない。かといって、いくら励ましても動いてくれない。年上の部下や、苦手なタイプの部下がいることもあるでしょう。

そんなとき、もし、メンバーそれぞれの「取扱説明書」があったら？

本書は、そんな発想で生まれた本です。

メンバーの働き方にイライラすることはなく、みんなに自然体で働いてもらい、得意なことや強みを生かした適材適所のチームをつくる。そのための方法を、ぜひ知ってください。

冒頭の「あなたの部下は、どのタイプ？」にあるように、人はそれぞれに違う思考タイプを持っています。仕事の指示ひとつをするにしても、相手に合わせたやり方があります。そう聞くと面倒にも思えますが、タイプは6つだけ。本書を読んでいただければ、簡単に覚えていただけるはずです。

中村青瑚

もくじ

第1章「リーダーシップ」を捉え直す

第2章 思考タイプの違いを理解する

第3章 思考タイプ別の接し方を知る

第1章

「リーダーシップ」を捉え直す

「親睦ランチ」でみんなが考えていること

ある日、チームのみんなで親睦を深めるためのランチミーティングを開きました。全員参加してくれてはいるけれど、いまいち盛り上がらない。だんだんと会話も少なくなってきて、なんだか気まずい空気すら流れはじめてきています……。「何とかしないと」と声を掛けますが、一度冷めてしまった雰囲気は元には戻りません。

このような状況は多くの人が経験したことがあるのではないかと思います。

こんな状態のとき、みんな、どのようなことを考えているのでしょうか。少し心の声をのぞいてみたいと思います。

緑タイプ「大勢で話をするのはちょっと苦手だな。ひとりになりたいな……」
黄タイプ「全然盛り上がんないな。なんかつまらないな……」
青タイプ「どうせ時間を使うならもっと効率的に使えばいいのに」

「親睦ランチ」のバラバラな状況

茶タイプ「みんなで今後のビジョンを決めよう！」
オレンジタイプ「あ、緑さんが輪に溶け込めていない。話しかけないと……」
赤タイプ「なんなんだ、この時間。なんの意味もない」

このようなバラバラな状況になってしまうのは、リーダーの準備が足りなかったわけでも、お店が悪かったわけでもありません。**みんな、「思考のタイプ」が違うからです。**特に小さなフラストレーションを感じ始めると、思考タイプの特徴は顕著に表れます。

緑タイプは「内省」「想像」を大事にします。みんなで過ごすより自分と向き合うことを大切にする傾向があり、大勢でのにぎやかな場はフラストレーションを感じます。できればひとりでゆっくりと時間を過ごして、エネルギーをチャージしたいと思っています。

一方で、オレンジタイプは「調和」「心情」を大事にします。会話に参加しない緑タイプのことが気になって仕方ありません。緑タイプ本人は会話の輪にまざらないことを気にしていないのですが、みんなと親睦を深めてほしいと話しかけます。しかしどこか上の空です。そんな状況に対し、一方的にフラストレーションを抱いています。

黄タイプは「自由」「創造」の思考タイプであり、楽しいことが大好き。楽しい話が出ればいいのに、全然盛り上がらない場は苦痛でしかありません。もう飽きていて、興味対象はほかのことへと移っているので、この場に興味を失っています。

青タイプは「論理」「思考」「効率」の人であり、無駄な時間が大嫌い。どうせ時間を使うなら、成果につながるような話し合いをしたいと思っていますが、全く建設的な話にならないこの時間に対して、フラストレーションを抱いています。

茶タイプは「価値観」「意見」「信念」が大事。自分がどのような思いで、仕事に取り組んでいるかについて、ひとりで熱く語り続けていますが、周囲が真剣に聞いている気配がないので、だんだんとフラストレーションを抱き始めています。

それを聞いているふりをしている赤タイプは「行動」「挑戦」が信条。熱のこもった意見の交換よりも、結果を出すことにしか興味を感じていないため、茶タイプの話がまったく耳に入ってきません。それどころか「うるせーなー」と思っています。

思っていることは顔には出しませんが、はっきり言って、もうカオスですね。

ただ、この人たちがどのような思考タイプをもって物事を捉えているかということがわかり、空気を一気に変えることができるとしたら、あなたはその方法を知りたいと思いませんか？

人それぞれに「思考タイプ」が異なります。リーダーはまずそれを把握しなければ、チームメンバーを同じ方向に向けさせることはできません。それぞれのズレが表立って見えればいいですが、この例のように、たいていの場合はみんな心の中に隠しています。

自分以外の人がどのような考え方をしているか、そのパターンにはどういった種類があるのか、それぞれのパターンに対してどのようにアプローチすればいいのか、そういったブラックボックスを解き明かすツールを提供するのが、この本の役目なのです。

「色」がチームの共通言語になる

「ちょっと茶色、出すぎてるよ」

「もう少し青色で話してもらっていい？」

「あの人、めっちゃ黄色強いよね」

「あの会社の担当者、何色だと思う？」


他人から見たら何を言っているのかわからないと思うのですが、私たちのチームでは日常会話の中で、このようなやり取りが行われています。

例えば、「茶色が出すぎている」というのは、会議などで部下のひとりが自分の意見や価値観を強く前面に出し過ぎていて、ちょっと意固地になっているときや、完璧を求めすぎていたり、既存のルールに縛られているように見受けられるときなどに一言、伝えます。言われた本人は、色の特徴と自分のタイプを理解しているので、「あっ!!」と冷静になることができるんですね。伝えるほうも、「ちょっと意固地になってるよ？」とダイレクトに言うよりも、「茶色出てるよ」とやんわりと声をかけてあげることで、その場の空気を壊さず、誰に対しても感情を逆なですることなく、一旦クールダウンさせることができます。

人の習性として、押されたら押し返すというものがあります。意固地になっている人に、「ちょっと意固地になってるよ」と伝えれば、「そんなことありません！」と反発し、どんどんと自分の殻に入り込んでしまう可能性がありますが、そういった余計なトラブルを回避することもできるのです。

「青色で話して」というのは、客観的な要素や具体的な数字を盛り込んで伝えてほしいという意味のことで、仮にその要素が足りない場合は、「青」の特徴が強い人にその部分を補足してもらうなどすることで、クオリティが高まることでしょう。

仮にこの会議で、「青」の特徴が強い人が「理詰め」で相手を追い込んでいるように見受けられるときは、「青色出すぎてるよ」と伝えてあげることで、クールダウンに導いてあげることもできてしまうのです。

営業や打ち合わせの現場でも、チーム内で色を共有しておくと、とてもスムーズに仕事をすすめることが可能です。

例えば、打ち合わせ先の担当者が「青」の特徴が強い人であれば、具体的な数字や段取りやリスクヘッジなどを交え、理論的に話を進めていくことで、スムーズな話し合いができるでしょうし、仮に「黄」の特徴が強い人が同席しているとすれば、その合間にワクワクするような話や、ちょっとしたユーモアを交えることで、飽きさせずに話を聞いてもらえることでしょう。

また、明らかに「青」や「茶」の特徴が強いお客様のもとに、「黄」の特徴全開の担当者がつくといったミスマッチを防ぐことも可能です。もちろん、これは「黄」の特徴が悪いということではなく、ミスマッチの例ですので、逆もまたしかりです。「黄」の特徴が強いお客様のもとに「青」や「茶」の色が強く、「黄」の要素が弱い担当者がつくと、お客様は堅苦しくなってしまい、負担に感じてしまう事があるということです。

このように、色の特徴をチーム内で理解しておくことで、「何色？」と、たった一言の会話で瞬時にイメージの共有ができてしまうのです。

各タイプがどんな特徴を持っているのか、どのように対応すればいいのかについては、第2、3章でお話ししていきます。ただ、メンバーそれぞれの特徴がわかっていても、そもそもリーダーが何をすればいいのかが明確でなければ、チームは機能しません。本章では、まずそのことについて考えます。

自分たちの求めるリーダー像がわかっていない

中小零細企業の経営層や管理職の方から、「リーダーが育たない」といった相談を受ける機会が非常に多いです。

何をもってリーダーと捉えるのかは、求めている人材や会社の特色によって変わってきますが、「どのようなリーダーをイメージしていますか？」と聞くと、だいたい次のような答えが返ってきます。

「チームを引っ張ってくれる人」
「場を仕切れる人」
「新規事業や商品（新たな収益源）を考えられる人」
「業務を教えられる人」
「人を育てられる人」

「会社全体の利益を考えられる人」
「仕事を生み出す人」
「仕事を率先してやってくれる人」
「ナンバー2（経営者の右腕）」

さらに「そのためにどのような施策を実施していますか？」と聞くと、「各自が自立して仕事できるように機会を与えている」「意見を言いやすいようにしている」「仕事をしながら業務を覚えてもらっている（いわゆるOJT＝On the Job Training）」「現場に任せている」といった答えもあれば、「お客様対応や商品知識などに関する専門的な知識をつけるために、専門家を外部から呼ぶ」といった、業務に関する研修の実施などを示すこともあります。

ただ、この時点ですでにズレが生じていることにお気づきでしょうか。

チームを引っ張っていってくれる人や、新規事業や新商品を考えられる人を望んでいるにもかかわらず、実際に行っている施策は業務遂行能力向上の施策が主になっている、ということです。

もちろん、業務の知識を蓄えて現場で活躍する人材を育てるのは素晴らしいことですが、業務遂行能力とリーダーシップは相関関係がないという研究結果もあります。これについては思い当ることがある人も多いのではないでしょうか。

それでも業務能力を向上させようとするのは、それが最も客観的に成果としてわかりやすく、評価基準として設定しやすいからではないかと思います。

中小企業の多くの優先順位は、どうしても、成果（利益）をあげてもらうことや、仕事に関する技術や知識を覚えてもらうことが中心となってしまい、経営層や管理職が求めているリーダー像を育成するところまで手が回っていない、というのが現状であるようです。

もちろんしっかりと人材育成に力を入れている企業もたくさんありますが、それでも話を深く聞いていくと、人材育成と言っても実際何をしてよいのかわからないため、結果的に「本人の資質に任せる形になっている」と、本音を話してくださる経営層の方が非常に多いのです。

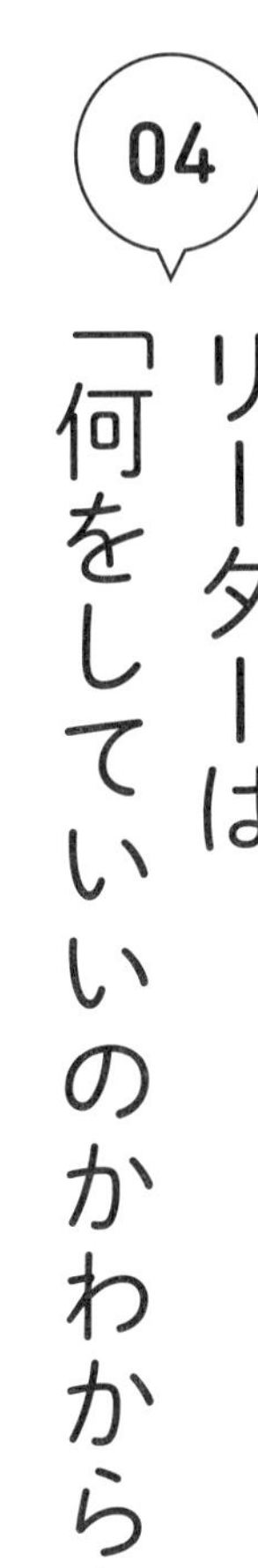

04 リーダーは「何をしていいのかわからない」

私は、さまざまな業種の会社で働いている人たち（若手や中堅社員）に、不定期でオンラインミーティングを実施しています。その中で、人材育成などに関してインタビューをさせていただくことがあり、そこでよく聞くのが次のような声です。

「働き方改革や多様性といった、わかったようでよくわからない概念が広まり、他者（上司や部下）とどう接していいのか迷う」

「自分自身が成果を出さなければならない中で、業務をこなしながら人材を育成するというのは非常に難しい」

多くの組織で、リーダーを育成するための文化やルールが成熟されておらず、人材育成やリーダーシップは個人の資質に任されてしまっています。そのため、直属の先輩がリーダー像を理解していないし、後輩をどうやってリーダーに育てればよいのかわからない、というケースもよく見られます。

新しくリーダーになる人からすれば、上層部がリーダーについて何を求めているかもわからないし、上司はリーダーシップを発揮してくれないし、上司も先輩も自分もリーダーに関する教育を受けてない。「そんな状況で、どうやって次のリーダーを育てるの？」という意見も非常に多いです。

また、中堅社員は物理的なキャパシティの問題で、育成のための時間確保が難しくなっています。「そもそも自分の仕事も忙しくて、業務を教えることだけで手一杯だよ」という人も多いでしょう。

では、リーダーとは何をすべきなのか。

中小企業の場合、経営層が考えるリーダー像は**「自分の代わりができる人**（**高いレベルですべての業務ができるのは当たり前**）**」**である場合が多く、管理職が望むリーダー像は**「きちんと業務をこなせる人」**、若手や中堅社員が理想とするリーダー像は**「自分たちを引っ張っていってくれる人」**、といった具合です。

この部分だけでも大きなギャップが生まれています。**そのうえで、日本の企業で構**

造的に多いのが、役職を与えた瞬間から「リーダーとしての仕事をしてください」と要求するというものです。

業務の理解は深めてきたかもしれませんが、組織の中でリーダーシップをどのように発揮すれば良いのかといった教育をまともに受けてきていない人に、例えば、「あなたは明日から主任です。主任としてリーダーシップを発揮してください」という、暗黙の役目を負わされるのです。これでは、何をどうしたらいいのかわかりません。それなのに、「じゃ、後はよろしく。何かあったら声かけてね」という上司が本当に多いのです。言われるほうはせいぜい、自分ができることを教えていくことくらいしかできません。それで「いい人材が育たない」と言われてしまうのです。そんな理不尽なことってありませんよね。

これでは働く人たちがモチベーションを保つことは難しいですし、結果的に言われたことをこなすだけの無難な組織に落ち着いてしまう。優秀でやる気のある人材は会社や仕事に魅力を失い、転職を考えるようになります。人材も育たず組織は停滞し、行く末は目に見えています。そんな結末は誰も望んでいないはずですよね。

05

リーダーとリーダーシップについて

リーダーと聞くと、大きく2つのイメージに分けることができます。

ひとつは、「サッカー部のキャプテン」「プロジェクトリーダー」「部長や課長」といった、役職や役割（ポジション）としてのリーダー像。

もうひとつは、「みんなをグイグイ引っ張っていく人」「責任を背負う人」「最終決断をする人」「物事をまとめる人」といった、イメージとしてのリーダー像。

多くの人たちは、リーダーとリーダーシップという言葉の定義を、日常の中で明確に使い分けていません。 それは、話の流れの中で、リーダーについての内容なのか、リーダーシップについてなのか、意識せずとも理解し、分類しているからです（本書も「チームリーダー」という言葉をタイトルに使っていますが、一般的にリーダーシップと受け取れる内容が多くなっています）。

リーダーとリーダーシップの違いについては、いろいろな解釈があります。**本書で**

はリーダーはチームや組織を率いる「先導者としての役割」を持つ人、リーダーシップはチームや組織を率いるために必要な「資質やスキル」、といった意味として進めていきます。

リーダーの「先導者としての役割」というのは、少しでも先を歩いている先輩から、課長や部長や経営者といった、具体的な役割を持った人までを指すことができます。複数の人が協力できるようにしたり、問題解決をしたりするときには、リーダーの役割を果たす人が必要になります。

一方で、リーダーシップの「資質やスキル」というのは、ひと言で言ってしまえば、誰もが持っていて、さらに成長させていくことができるものです。

「もっとこういう風にしたらいいんじゃないかな?」
「それって本当に必要あるのかな?」
「これは何のためにやっているんだろう?」
「今日はこれを食べたいな」

日常の中で、誰でもこうした疑問や迷いを感じ、何らかの決断をしています。仕事でも日常でも、行動や指針などに対して、何かを思案し、疑問や意見を抱き、決断し、自分自身に指示を出したことがある。つまり、「疑問や思案や意見を抱き、指示を出す」。私はこれがリーダーシップだと思います。

自己意識が芽生えた時から、すべての人がリーダーシップを手にしている。自分の考えや経験などをベースとして決断することで、自分自身を導いていると捉えることができるのではないでしょうか。

しかし、複数の人がかかわるビジネスの現場で、リーダーシップを外に向かって発揮できているかどうかという部分で考える際、ややこしくしているのが、ステレオタイプ（多くの人に浸透している固定観念や思い込み）のリーダー像です。

「みんなをグイグイ引っ張っていく人」「責任を背負う人」「頼りがいがあり、決断力、行動力を持つ、明るくハキハキした人」といったリーダー像が、〝リーダーシップとは、限られた一部の人が備えているものだ〟という誤ったイメージをつくってしまっているのです。

そのせいで、「自分はリーダーには向いていない」といった誤解を子供の頃から植え付けられてしまった人もいます。ビジネスの現場などでは特に、「その立場にないから」と、リーダーシップを誰かに明け渡してしまう。本当は疑問や意見を持っていたとしても、それを自分が持つリーダーシップだと気づくことができないまま、どこかで傍観者的な立場を取ってしまう。これではリーダーは育ちません。

少なくない場面で、「リーダーになりたくない」ということを耳にする機会が増えています。リーダーになってしまったら「責任を負わされる」「仕事が増える」といった考え方をする人が多いのですが、「リーダーになりたくない」のと「リーダーシップを発揮せずに放棄してしまう」のは、全く別の話なのです。

少し極端に聞こえるかもしれませんが、**リーダーシップを他人に渡してしまうというのは、自分の人生を他人に決めさせてしまうのと同じです。**なぜなら、リーダーシップとは「疑問や思案や意見を抱き、指示を出す」という、人が生きていくためには必要になる要素だからです。

本書を読み進めていく中で、またこれからの日々を送る中で、物理的な役割としてのリーダーなのか、自分の中に育まれた（これからさらに育んでいく）リーダーシップなのかを意識して欲しいと思います。**リーダーシップは誰もが持っていて、スキルとして高めることができ、常に発揮することができる。**そのための一助となるツールをお伝えしていきます。

リーダーの役割は「〈未解〉の仕事」に対応すること

リーダーとして求められる仕事のひとつとして、「答えのない〈問〉にどう対処するか」というのがあります。**私は「〈未解〉の仕事」と呼んでいますが、明確な答えのない課題や問題に対して「自分で〈問〉を作り、〈解〉を求めていく」というスキルが必要になると考えています。**

ただ、このスキルを身につけるには、どうしても経験が必要になります。その経験の中で育むことができるのが、リーダーという役割ではなく、人を巻き込み、成果へと導くリーダーシップです。

すでに〈解〉が出ている仕事は、誰がやってもそれほど結果は変わりませんが、〈解〉が不明だけれど、「正しいであろう答え」を導き出しながら進んでいかなければならない仕事もあります。例えば「新規プロジェクトの立ち上げ」「顧客との難しい要求を受けながらの折衝」「他部署や外部チームとのやり取り」。そして、これらには

「人と人の交わり」が含まれています。結局、リーダーシップを育てていくには、「人と人の交わり」をいかに成果に結びつかせるかが重要になってきます。

大切なのは、良い人になって「仲良く仕事をしていきましょう」ということではなく、「成果をあげるために他者と交わる」ということです。そのためには、「適切な経験を早い段階から積む」ことが大切だと思います。

育成や仕事の進め方で多いのが、「困ったときに助言を求める」というやり方です。しかし、上司や先輩から言わせると「困ってから助言を求められる頃には、時すでに遅し」という場合が、実は非常に多いのではないでしょうか。または、なぜそういう問題が起きているかを解明する過程が曖昧で、一面からでは判断がつかず、効果的な助言をできないということも多いのです。

このような問題の解決と、次世代リーダー育成のツールとして、私たちは、「FeelFull（フィルフル）」（https://feelfull.net/）という、働く人の活躍を支援するサービスを提供しています。認識交流学を用いた従業員の思考タイプと、従業員の心の動きを可視化することができる機能が実装されています。

本書の知識を併せて用いることで、Ｗｅｂシステム上で部下を管理することができます。後輩や部下がひとりでもできたら、管理者としてやり取りができる。つまり、人と対峙する機会を数多く創出し、非常に早い段階で「〈未解〉の仕事」の経験を積むことができるということです。

さらに、上司はそれらのやり取りをこまめに確認できるので、上司は心配せずに仕事を任せることができるし、部下は安心して後輩などと対峙することができるのです。

「適切な経験を踏ませる」というのは、ひとりでも後輩ができた瞬間から経験を積ませながら、効率的に育成していくプロセスを、みんなでサポートすることなのです。

これにより、先輩社員が後輩社員を育て、先輩も後輩に育てられ、先輩は上司に適切なサポートを受けながらリーダーシップを学び、発揮できる環境が社内文化として構築されていきます。

もちろん、このようなツールを活用しなくても、多くの経験を積ませてあげることは可能ですが、**プロセスの把握や管理することを考えると、「すでにあるものを、うまく使う」という選択肢は大切かと思います。**

07
なぜ、マネジメント理論は役に立たないのか

マネジメントやリーダー論に関する書籍は、本当にたくさん見かけます。古くは「武将語録」のような書物でも、人の悩みに関して多くの記載を見ることができます。それだけ長い歴史と多くの人や企業が、人材育成やマネジメント、組織構築や組織運営に対して悩みが深く、なかなか解決させることができない課題だということを推し量ることができます。

私も数多くの人材育成やマネジメントや組織運営に関する書籍などを読んできましたし、実践してきました。ただ、これほど多くの素晴らしいマネジメント論や人材育成理論があり、多方面に広がっているにもかかわらず、「なかなか課題をスッキリと解決させられない事例が多いのはなぜか」と思ってしまうことが、実感としてよくあります。

なぜかと考えると、**結局は「人の問題だから」という結論に至ります。**組織論やリーダー論など、結局はすべて人に起因した話になります。そして、人の問題の何が複雑にしているかというと、人間は一人ひとりが感情を持っていて、物事の捉え方が異なるということなのです。

しかし、多くの理論は一人ひとりに焦点を当てているようで、「リーダーはこうしましょう」「リーダーシップはこうやって磨きましょう」というように、個別具体的な話ではなく、あらかじめ決められた「組織の在り方」を個人に説く話になっているように思えます。

このような「人材論」と「組織論」の流行は、時代によって変わります。ある時期は組織論に注目が集まり、ある時期では人材論が主流となり、そのノウハウが振り子のように揺れ動いています。

ビジネスには必ず人が介在すると考えると、その中心には必ず「個人」が存在しています。**その個人に焦点を当ててあげることで初めて、人材論や組織論が本当の意味で生きてくるのです。**

08 パーソナリティとモチベーション

「なんとなく気分が乗らない」「不快を感じた」「嫌なことを言われた」「やりたくないことをやらなければならない」「面倒くさい」。

逆に「やる気が出た」「気分がノッている」「気持ちよく働いている」「とても仕事がはかどる」「楽しい仕事ができている」。

これらの気分を表すときに「モチベーション」という言葉が使われます。モチベーションは物事をなしうる上で重要な要素になりますし、やる気が感じられずどんよりしたチームよりも、活気のあるチームの方が生産性向上などに与える影響が大きいという研究結果もあります。研究しなくても肌で感じられるほど、顕著な話だと思います。

モチベーションが下がった状態にあると、組織がうまく機能しなかったり、優秀な社員が退職してしまうなど、デメリットは計り知れません。そこで、多くの企業は社員のモチベーションを高め、その状態を保つためにあらゆる手立てを打とうとします。

しかし、実際にはうまくいかないことも多いでしょう。**その原因は、思考タイプに**

よって、モチベーションの上がる要素が異なるからです。

もちろん仕事に対して求める要素も異なり、そこがズレていると、どんな声がけをしてもモチベーションは上がってきません。ある人にとっては働きやすい環境でも、ある人にとっては働きにくい環境というのがあります。単調な仕事が得意な人もいれば苦手な人もいますし、細かくルールがあったほうが楽という人もいれば、ルールなんてないほうがいいと思う人もいます。

上司と部下や同僚や後輩との関係も、働きやすさに影響を与えます。あの人とは話しやすい／話しにくいということは非常に多いです。

周囲のモチベーションを上げるために多くの人が行うのは、声かけではないかと思います。ただ、上司は部下のモチベーションを高めるために声をかけたとしても、それが相手に響くかどうかはわかりません。「仕事なんだから、ちゃんとやって欲しい」と思ったとしても、理屈で感情を高めることは難しいし、かといって直接的に「モチベーション上げて行こう！」とどれほど叫んでも、何の役にも立ちません。

例えば私の場合、「がんばって」と言われたとしても、「よーし、元気もらったぞ、がんばるぞ！」とはなりません。逆に「うん、やるからほっといて」と思ってしまうのですね。性格が悪いとか良いとかいう話ではなく、そう思うタイプの人間だということです。もちろん、全く気にかけられないよりは良いので、「ありがとう。がんばるよ！」と答えますが、本音を明かすと「応援されてもされなくても、やることは変わらないから、励ましは別にいらない」と思っているのです。

これは思考タイプを理解していれば、簡単に説明できることなのですが、そのようなことを知らずに、「自分が応援されることでがんばれる」タイプの人は、「他の人も応援されたら元気になるだろう」と思いがちなのです。

だからこそ、**「この人にはどのような言葉をかけてあげると響くのか」「どのような環境がいいのか」「どのような仕事が向くのか」**といったことを、客観的に知ることが重要なのです。

09

「心理的安全な環境」は人によって異なる

近年、「心理的安全性」という言葉を非常に多く耳目にするようになりました。それについての書籍も数多く出ているので、詳細はそちらにお任せしますが、非常に簡単にまとめると、心理的安全性とは**「自分自身を安心して表現できる状態や環境のこと」です。**つまり、意見や考えを自由に伝えることができ、その結果に対して怒られたり批判されたり、罰せられたりしない感覚が共有されている状態のことです。

組織やチームで心理的安全性が確保されていればいるほど、人々はオープンで率直なコミュニケーションを取り、自然に協力しあいます。こうしたチームは優秀な人間が集まっただけのチームよりも生産性が向上するという研究結果を米グーグル社が発表したことで、注目を集めるようになりました。優秀な人たちがどれほど集まっても、心理的安全性が低いチームでは、成果を出すことができないということです。言葉は悪いかもしれませんが、凡人の集合体でも心理的安全性が確保されていれば、チームとして十分戦うことができるということですね。

しかし、心理的安全性という言葉が浸透していくと同時に、人によって解釈が異なり、いくつか誤解が生まれてしまった面もあるように感じます。

例えば、部下が意見を言いやすい環境やチャレンジしやすい環境をつくるために「いいね、いいね。何でもやってみようよ」と無責任に承認しすぎて、「NOと言いにくい組織」になってしまい、結果的に「放任主義」に陥ってしまう。こうしたことが、実際に多くの企業で起きています。

この背景には、「ハラスメントと受け取られたくない」「理解できないけど容認することが多様性でしょ」「面倒は他の人に任せておこう」といった多くの心理的要素が絡んでいることがとても多いのです。いずれにしても、心理的安全性を実践しようとして、おかしなことになっている場合が少なくありません。

意見を自由に言えたり、チャレンジしやすい環境をつくることは大切ですが、無責任に放任したり、「主体性の容認」を装って見て見ぬふりをしたり、無理に受容することは違うのです。

平たく言うと、「私はこう思うよ」「私はこう感じているよ」ということをフラットに伝え合うことに抵抗を覚えない関係と環境を用意するということです。誰かの提案に対して、ある部分に違和感を覚えるのであれば、「言いにくいけど……」と躊躇したりすることなく、自然に伝え、それに対してフィードバックをもらったり、建設的な意見の交換をしながら、物事を進めていくことを目指すのです。

もちろん、「互いに恐れずに意見できるようにしていく」といっても、個人が相手に対して一切の気遣いなく、本当に好き勝手を言い始めたら、間違いなく関係性が崩れてしまいます。良い結果を出すどころの話ではなくなります。日本的な「忖度」をしろということではなく、**真の心理的安全性は、互いに「受容」し「尊重」し合う関係の上に成り立つと思うのです。**

どうすれば尊重しあう関係になれるのかについては第5章でお話ししますが、何よりも大事なのは、相手を理解しようという姿勢です。これから具体的にお伝えしていきますが、「思考の枠組み」は人によって異なります。つまり、心理的安全も人によって異なる。その違いを知ることが、自分達らしく成果を出せるチームづくりの第一歩なのです。

10 自己開示が一瞬でできるツール

心理的安全性の概念として、「自分自身を安心して表現できる状態や環境のこと」だとお伝えしましたが、概念だけでは心理的安全性を確保することはできません。**実践していくためには、まず「自己理解と自己開示」という要素が必要になると言われています。**

自己理解については、本書と認識交流学会で提供している思考タイプ診断をしてもらうことで、かなり深く理解してもらうことができると思います。しかし、自己開示は簡単ではありません。

心理的安全性をテーマにする書籍や文献ではよく、「上司が自分の弱みを見せることで、部下も弱みを見せやすくなるので、これを実践しましょう」と書かれています。しかし上司であれ部下であれ、弱みを見せ合うというのはなかなかハードルが高いことかと思われます。人の思考タイプ〈本書の茶タイプ〈ディレクター〉、赤タイプ〈ブレイバー〉、青タイプ〈コンセプチャー〉などの特徴を強く持つ人〉によっては、弱みを見せることに抵抗を抱く場合が多いです。

そもそも今まで自己開示をしてこなかった人たちが、「心理的安全性を高めるために自己開示をしましょう！」といってすぐに切り替えて対応できるかというと、頭ではわかっていても、気持ちがついて来ないのが現実でしょう。

また、意識的に自分も弱みを見せようとすると、非常に不自然でわざとらしく映ったり、その意図が部下に見透かされたりしてしまい、心理的安全性自体の価値すら危ぶまれてしまうかもしれません。


そこで色とグラフの共有が効果を発揮してくるのです。


自分の色の並びが書かれているグラフ（思考タイプ）を共有するということは、その人の取扱説明書を共有しているのと同じことです。わざわざ意識して弱みを見せなくても、色の組み合わせを共有するだけで、その人がどのようなことに対して強みを持っているのか、弱いのかということが瞬時に理解されるのです。

相手を理解する、自分を開示するという点で、こんなに便利なことはないと思います。これだけであれば、本書の診断をみんなでやってみるだけで実践可能です。ぜひ、活用してみてください。きっと盛り上がるはずです。

ハイコンテクスト文化でこそ必要なスキル

世界的に見て、「日本人はハイコンテクストなコミュニケーションが得意な人種」と言われています。ハイコンテクストとは、非常に簡単に言うと**「具体的に伝えなくても、空気を読んで行動する」**という文化を持っているということです。情報は言葉だけでなく、文脈や非言語的なサインに依存して伝えられます。アジアや中東の文化がこれにあたります。

これに対するのがローコンテクストです。ローコンテクストの文化では、情報は主に言葉に頼り、直接的に伝えられます。文脈や非言語的な要素はあまり重要ではありません。アメリカやヨーロッパの文化がこれにあたります。

これらの違いは、言葉の使い方やコミュニケーションのスタイルに影響を与え、異なる文化間での誤解を避けるのに役立ちます。

ハイコンテクストは、前提となる文化や知識や価値観などが近い人間同士で成立します。アメリカなどに比べると、ほぼ単一民族と言っても過言ではない日本では、特に多く見られる特徴です。

例えば、「ちょっと、そこ片付けて」から始まる会話があるとします。多くの日本人は何となく理解して対応できるのですが、ローコンテクストな文化の人から見ると、「ちょっと?」「そこ?」「何を片付けるの?」といった感じでうまく伝わらないそうです。

「言わなくてもわかるよね」「空気読んでね」「もっと優しい感じの色にして」などで通じるのも日本特有と考えることができます。海外の人から見ると、「日本人はテレパシーが使える」とさえ思われているようです。

互いを理解しにくくなるのは、ハイコンテクストのコミュニケーションで接している場合が多いように感じます。わかりやすいのが、年齢が離れた上司と部下との関係ではないでしょうか。企業文化の理解度、育ってきた環境、時代背景、社会人としての経験値など、それぞれが大きく異なるにもかかわらず、同じ日本人だからというくくりで、「あれ、これ、それ」といった、ハイコンテクストなコミュニケーションスタイルを取り続けている人が非常に多いように感じます。

私は全く経験のない業界でビジネスを立ち上げたり、相談を受けたりすることが多いのですが、企業文化や業界の習慣などはそれぞれ大きく異なります。つまり、ハイコンテクストの大前提となる「共有されている文化」を持ち合わせていない状態なのですね。

ふわっとした物言いに対しては聞き返すようにするのですが、聞き返されたほうは、今まで何となく伝えていたことを言語化しようとするので、自分の中で新しい発見もあるようです。

それ以上に「面倒くさい」と思われるケースも多いのですが、具体的に教えてもらえないと、私は仕事を高いレベルで進めることができないのです。それはお互いにとってマイナスにしかなりませんし、期待に応えることができなくなります。

もちろん、「全て教えろ」という態度で接してもうまくはいきません。**そこで必要なのは、伝える、伝わる、受け取る、といった、相手を思いやる要素を含みながらも、シンプルで効果的なメッセージの受け渡しをするスキルなのです。**

本章では、リーダーシップの在り方と、その実践のために相手との違いを理解したコミュニケーションが必要だという話をしました。

私は社会で生きる上で、リーダーシップは真に必要なスキルのひとつだと考えています。**人は状況に応じて自ずとリーダーシップを発揮する生き物です。**例えば、お兄ちゃん、お姉ちゃんになった瞬間から、生まれてきた弟妹を面倒見る立場になります。そのときにはもう、望もうと望まなくともリーダーという立ち位置になっているのです。

学生で何かの委員に選ばれたら、自分で進路を決めなければならないときが来たら、社会人になってひとりでも後輩ができたら、もう立派なリーダーなのです。

続く第2章以降で、人間関係に余計な神経をすり減らすことなく、チームリーダーとして、最短最速で成果を出すために必要な要素をまとめました。自分なりのリーダーシップを発揮したいと感じる人は、読み進めてみてください。

第2章

思考タイプの違いを理解する

各タイプの特徴を理解する

本章では、それぞれの思考タイプの特徴を見ていきます。

まず、絶対に忘れてほしくないのが、**思考タイプとは、その人の性格や思考、能力を決めつけるものではないということです。**

例えば、血液型診断は、「○型の人はこんな性格」と、人それぞれの思考を分類するひとつの物差しだと言えます。星座や生年月日をもとに才能を見出す方法も同じですね。

その点で、本書で扱う思考タイプは異なります。

まず、誰でも6タイプすべての要素を持っています。『青』の特徴だけを持つ人」「『赤』の特徴だけを持つ人」というのはいません。みんな普段から無意識のうちに、各タイプを状況によって使い分けています。**どのタイプの特徴が表に出やすいかは人によって違い、診断はその割合を数値化するものです。**

また、思考タイプは誰かと比べて優劣を決めるものではありません。人に比べて「青」が強いから、「茶」が強いから優秀、ということではないのです。まったく同じ並びの2人がいたとしても、育ってきた環境は異なり、人それぞれに個性があります。思考タイプ診断も、その複雑な思考をわかりやすく分類するためのものだと考えてください。

冒頭16ページの「パーソナリティ思考タイプ診断」はやっていただけたでしょうか。インターネットではなく、紙で診断をした人は、診断結果を書き込む部分の「タイプ」が空欄になっていると思います。次の6タイプを参照して、空欄を埋めてください。

A：緑（ソーサー）
B：赤（ブレイバー）
C：茶（ディレクター）
D：黄（ムーバー）
E：青（コンセプチャー）
F：オレンジ（アコーダー）

診断結果を見て、**いちばん左に来る色を、その人の「ベース」と言います。**これが最も強く表れやすい色で、そこから2列目・3列目の順に表れやすいということになります。個人差があるので一概には言えませんが、左から3つが表れやすいと覚えておいてください。

それではここから、各タイプの特徴を説明していきます。

パーソナリティ・タイプの特徴はいろいろな面に表れています。

ここではまず、各タイプがどのような「思考の枠組み」で世の中を見ているのかに合わせて、その思考をもとに、どんなときに行動を起こすのかといった「行動の基準」を示します。

あわせて、「共通言語」という項目があります。例えば、日本人同士であれば、意識せずに言葉を交わすことができるように、同じタイプ同士は意思疎通をしやすいという意味で「共通言語」と名付けています。このタイプはどのような言語を使うのかを理解できれば、それだけでコミュニケーションを取りやすいと考えます。

また、各タイプをイメージしたイラストと合わせて、わかりやすい特徴として「口癖」「話し方」「表情」「姿勢」「仕草、癖」「服装」で分類します。

パーソナリティタイプのサンプル
（著者の場合）

※21ページのグラフの下の欄と照らし合わせてください。

続けてこれらを背景に、より詳しく各タイプが持つ基本的な特徴、人生の価値観、ビヘイビア（振る舞いや態度など）、人との関わり方、誤解されがちな傾向などにも触れていきます。加えて、各タイプのメンバーと接する上で有効な「響く言葉」も紹介します。

各タイプの説明は、わかりやすいように象徴的な特徴を挙げ、あえて極端な表現や断定的な言い方で説明しています。自分がそのタイプだと思うと面白くない部分もあると思いますが、**ここに挙げる特徴が、そのままその人だというわけではありません。みんな6色を持っていて、その出やすさ、使いやすさが違うだけです。**それを大前提に読んでみてください。

茶タイプ ディレクター

思考の枠組み

・価値観、意見、信念

共通言語

・信頼、評価

行動の基準

・自分の価値観と照らし合わせて行動を決める

口癖

○○すべきである／○○する義務があ

る／○○しなければならない／○○してはいけない／尊敬／絶対に／情熱／熱心／尊重／意見／正義／信頼／信用／本物／価値がある／期待／伝統／啓蒙／権威／義理人情／献身／忠誠／大義／文化／道徳／貢献

話し方

・大きく、張りのある声で力強く話す

表情

・眉間に縦のしわ。目力が強い

姿勢

・力強く、威厳を感じさせる姿勢

仕草、癖

・話に熱が入ると、グッとこぶしを握ったり、手を振り上げたりする

服装

・保守的で欠点のない服装。質の良いものにこだわる

茶タイプの 基本的な特徴

茶タイプは、自分の「価値観・意見・信念」といった思考の枠組みをもって世の中を捉えます。**共通言語として「信頼・評価」を用いることで、スムーズな交流を持つことができます。**

自分の価値観や信念を通して、物事を評価しようとします。価値観と聞くと少し漠然としているように思えるかもしれませんが、基本的には礼儀、正義、義理、人情といった、厳格さと精神性を軸に物事を捉えます。

献身的、鋭い観察眼、誠実さ、実直さ、使命感といった要素を併せ持ち、「礼儀正しい」「きちんとしている」「威厳がある」「強い信念を持っている」「親分肌」といった印象を周囲に与えます。特に自分が信頼に値すると思った、人・物・事に対して献身的に力を発揮します。

茶タイプの 人生の価値観

自分にとって価値があると信じたことに対して、その道を究め、生涯をかけて探求し、私利私欲を捨て働き、他者から多くの尊敬を集めることを人生の成功と考えます。**「自分が信じた正義」「自分の信念」「自分の価値観」**というように、自分の価値基準を大切にするため、自分が価値あると信じたことに対して、損得を抜きにしてでも納得のいくまで辛抱強く取り組み、何としてでも達成させようとする力があります。

茶タイプのビヘイビア

目力が強く、声にパンチがあり、熱のこもった口調で「〇〇しなければならない」「〇〇するべき」といった、**断定的な物言いを好むため、言葉に説得力があります。**茶タイプ同士が語り合っていると、「ケンカをしているのでは」と周囲が勘違いするほどの迫力と熱量を放つことがあります。

表情はどちらかというと険しく、眉間にグッと力が入っている傾向が強いです。声の力強さも相まって、どこか怒っているように見受けられることが少なくありません。

匠の技や造詣が深いもの、質の高いもの、格調高いもの、歴史的な価値、老舗、伝統、格言や座右の銘を飾ったり、世界遺産や社会的に価値のあるものを見にいったり……といった要素を好む傾向があります。

茶タイプの 人との関わり方

1対1での対話を好み、意見の交換や、思いなどをぶつけ合うことで互いを理解し信頼を深め合う傾向があります。自分が納得してから物事に取り組みたいと考えているので、説得するよりは、本人の信条を尊重した上で話すのが良いでしょう。

ただ、こちらが思ってもいないのに、その場しのぎで相手の言うことに調子を合わせることはしないようにしてください。後から意見が食い違った際に「あのとき、そうだと言ったじゃないですか！」と、信頼を失うきっかけになります。

意見の食い違いがあっても、それはあくまで意見の交換であり、異なる意見も歓迎しますので、「私はこう思う」と違う意見をきちんと伝えて大丈夫です。意見が異なっても、お互い意固地にならなければいいのであり、ぶつかることを怖がらないでください。

人の相談には親身に話を聞きますし、困っている人へ手を差し伸べることも苦ではありません。一方で自分の相談を他人にしたり、弱みを見せることは苦手です。

用心深いため、他者や物事に対して基本的に疑いを持って接します。「対峙する相手がどのような価値観に基づいて物事を捉えているか」「どのような信念を持って物事を成し遂げようとしているか」「言動が一致しているか」「それは自分の価値観とマッチしているか」ということに目を向ける傾向が強いです。この辺りが鋭い観察眼を持つと言われる所以です。

こうした姿勢は、他者だけではなく自分にも向けられます。自分が決めたことを成し遂げるために日々の行動を積み重ねられているか、自分の信念に反していないか、自分に課された責任をきちんと果たせているかといった感じで、自分に対しても厳しいのが特徴です。

茶タイプの受けやすい誤解

常に礼儀正しくあろうとし、威厳を保とうとします。そのため**「冗談が通じない」「いつも怒っている」「堅物」「説教がましい」「威圧的」「支配的」**という風に誤解されがちです。

信頼関係を築くまでには時間がかかりますが、一度信頼関係を構築すると、献身的に力を発揮してくれるため、非常に心強いタイプでもあります。

茶タイプの響く言葉

意見／価値観／信念／確信／確固たる／貫く／覚悟を決める／一流／人徳／威厳がある／正しい／意思が強い／頼もしい／芯が強い／尊敬できる／信用できる／信頼できる／注意深い／思慮深い／器が大きい／誇りを持つ／感心させられる／見習わせてもらう／納得させられる／感服させられる／期待している／真摯に受け止める／匠の技／プロフェッショナル／素晴らしい／人柄／筋が通っている／造詣が深い／品がある／間違いない／是非とも

茶タイプの特徴まとめ

［プラス面］

- 全体を管理し物事を完璧に行おうとする
- 損得を抜きにしてでも理想を追求する信念を持つ
- 自分の価値観や信念に従う
- 正義感、責任感、義務感が強く、曲がったことが嫌い
- 道徳、礼儀、義理人情といった精神性を持つ
- 情に厚い
- 自分が信じた物事を成し遂げようとする粘り強さ

［マイナス面］

- 完璧を求めすぎ、不完全を許さない
- 批判的（完璧を求めすぎて疲れやすい）
- 警戒心、猜疑心が強い
- 建前を重視しすぎる
- 管理しすぎようとしてしまう
- 自分の考えに固執しすぎる
- 意地っ張りで意固地

- 物事に真剣に取り組む
- 勇気があり弱者を助ける
- 決めたら一貫性をもって取り組む
- 英雄的で度量が大きい
- 本質を見抜く能力に長ける
- 親分肌、姉御肌、職人気質
- リーダー気質（統率能力がある）
- 自己主張が強いので他者を引っ張ることができる
- 主義主張を自分の意見を交えて伝えられる
- 慎重に相手を見極める
- 負けず嫌い
- とことんまで追求する

- 自分が認めないと受け入れない
- 自分が納得しないと行動に移さない
- 急激な環境変化への適応が苦手
- 慎重になりすぎて前例重視になりやすい
- 相談をすることが苦手でひとりで問題を抱え込む
- 融通がきかない
- 気に入らない相手には対立の構図を取る
- 排他的になる
- 冗談が通じない
- いつも気を張っている
- 心の内をさらさない
- 物事に白黒をつけようとしすぎる
- 説教がましくなる
- 自分の価値観や信念を押し付ける
- 相手の本気度を試す

青タイプ――コンセプチャー

思考の枠組み

・論理、思考、効率

共通言語

・事実、論理

行動の基準

・論理的に納得できるかどうかで行動を決める

口癖

なぜ?/どうして?/比較検討/具体

的に言うと？／どういう意味？／何が？／計画／いつ？／何を？／根拠／効率／数字／時間／成果／客観的に／〇〇と考えます／段取り／優先順位／分析／データ／情報／論理的／思考／エビデンス／現実／考えて

話し方

・抑揚が少なく、機械的なトーンの声

表情

・表情の変化は少ない。思考する時に上方向に目が動く

姿勢

・スマートで無駄がない姿勢

仕草、癖

・動きは少ない。説明する際に多少手を動かす程度

服装

・きちんとした服装。ＴＰＯに合わせた格好

青タイプの 基本的な特徴

青タイプは、「論理・思考・効率」といった思考の枠組みをもって世の中を捉えます。**共通言語として「事実・論理」を用いることで、スムーズな交流を持つことができます。**

情報収集と分類・分析のスキルが高く、論理的かつ客観的に物事を捉えることが得意です。掲げた目標に対して逆算思考で計画的に優先する順番を明確にして対処します。きっちりしており、管理能力も高く、まとめ役としての能力に長けています。

計画的、逆算思考、段取り力、客観的といった要素を併せ持ち、「冷静」「クール」「きちっとしている」「論理的」「理知的」「合理的」といった印象を周囲に与えます。

目標を立て、計画通りに進めながら物事を達成させることに充足感を得ます。また、合理的、効率的に物事に取り組むことを好みます。情報収集や分析力を用い問題解決に取り組んだり、優先順位を考えて効率的に仕組みをつくったりする能力が高いです。知的欲求が高く、資格を取るなど目に見える成果を求めます。

物事を効率的に進めるために、ルーティン化することを好みます。決まった場所にものを置き、決まった時間に起床し、決まった時間の決まった車両の電車に乗るといった特徴を持ちます。

青タイプは全体を把握し、総合的に状況を鑑み、「いつまでに物事を終わらせるか」といった基準で物事を捉えます。責任感というよりは、合理的に物事を完遂(かんすい)させるため、「責任能力が高い」と捉えることができます。

青タイプの 人生の価値観

目標を達成し成果を出すことは自分の能力を再確認することであり、それらを正当に評価され役割を任されることに価値を感じます。人生設計もしっかり行うので、**目標をひとつずつクリアし、計画通りにステップアップすることを成功と捉えます。**

青タイプの ビヘイビア

表情はあまり感情を表に出さずクールな感じで、スッとした佇(たたず)まいです。

清潔で整理整頓された空間を好み、高級なものよりもシンプルで機能性が高いものを好みます。賞状など、これまでの成果物を飾ったりすることも好みます。

情報を集めて物事を判断するため、他者と話すときは、「いつ、どこで、誰が、なにを、どうして、なぜ」といった言葉が多くなります。

データやエビデンスを交えて理路整然と話すことが得意で、物事に対して正確に対処しようとします。感情的になって話すことは少なく、冷静に話すイメージです。

青タイプの 人との関わり方

1対1の対話を好み、プライベートで深いつきあいを構築するよりも、仕事を通して良い人間関係を構築することを好みます。データやエビデンスなどの客観的情報を元に、有益な情報交換することを望みます。

茶タイプと同じく、自分が納得した上で物事に取り組みたいと思っています。茶タイプの納得ポイントを「信条」とするなら、**青タイプの納得ポイントは「客観的情報」や「確率」といった要素が強くなります。**思いだけで話を進めるのではなく、常に客観的情報や裏付けなどを交えて話をすると、理解してもらいやすくなります。問題解決などにも能力を発揮するため、課題解決に向けて協力的な姿勢で挑みます。また、「分類・分析」といった思考することを好むため、常に情報をキャッチアップします。

事実を確認する行為は、情報収集です。計画や目標達成のために情報を集めたり、問題解決の糸口を考えたりします。そのため話があちこちに飛んだり、感情で話されたりすることを嫌います。

スケジュールを立てることやタスク管理をすることが苦になりません。仕事を依頼されても、計画と照らし合わせて対応可能かどうか、対応するのであればいつからできるか、どのくらいで終わらすことができるか、といったことを考えて判断します。

冷静な視点で客観的かつ計画的に物事を進めていく能力が高く、チームにいると非常に心強い存在でもあります。一方で計画的に成果を出せないことは能力の否定に直結すると考える傾向が強く、**成果を出すために慎重になり、情報収集に時間を割き、なかなか行動に移すことができなくなる場面がよくあります。**

効率を求めすぎるあまり、他者に対して心情的な要素を排除して接してしまうことがあります。「なぜ、どうして、いつ、誰と」といった質問が多くなるため、相手は尋問されているかのように感じることがあります。

ボーッとする時間や息を抜くことが苦手で、常に何かしら考えを巡らせないと不安に駆られるときが多く、周囲に緊張感を与えてしまうことがあります。

時間への意識が強く、自分が集中している時に邪魔をされることを非常に嫌います。

青タイプの受けやすい誤解

数字やエビデンスなど、客観的事実を元に物事を判断しようとします。そのため、**「機械的」「冷たい」「融通が利かない」「杓子定規（しゃくしじょうぎ）」「思いやりがない」**といった誤解を受けやすくなります。

成果を挙げることは、自他ともに能力を再認識させる絶好の機会です。成果を挙げて周囲から正当な評価を受けることに、喜びを感じます。

青タイプの響く言葉

論理的／効率が良い／計画的／段取りが上手／頭の回転が速い／数字に強い／わかりやすい／完璧／優れた／データがしっかりしている／エビデンス／読みやすい／初めて聞いた／知的／知性が高い／物知り／的確／詳しい／ためになる／聞きやすい／功利主義／判断力がある／問題解決能力が高い／ポテンシャルが高い／呑み込みが早い／成果／良い仕事

青タイプの特徴まとめ

［プラス面］

・論理的、理知的、冷静
・感情的になることはほとんどない
・現実思考
・勤勉で勉強熱心
・合理的
・段取り、計画力
・事実に基づいて客観的に判断する
・分析、分類力に優れる
・数字に強い
・逆算思考
・タスク管理が得意
・几帳面、整理整頓上手
・リスク管理やリスク察知能力が高い
・目標達成能力が高い
・客観的な観察力が高い
・問題解決能力が高い
・成果主義
・明解な説明をできる
・細かい所に気付く

［マイナス面］

・考え方が機械的すぎて人間味に欠ける
・冷徹で、打算的（計算高い）
・神経質、細かい
・柔軟性に欠ける、融通が利かない
・気持ちを察することが苦手
・感覚的に物事を捉えるのが苦手
・計画を乱されるとイラ立つ
・情報収集に偏りすぎ行動が遅い
・物事を完璧に進めようとしすぎる
・不完全さを嫌う
・潔癖
・成果が出ない行為を無意味と捉える
・冗談が通じない

オレンジタイプ―アコーダー

思考の枠組み

・調和、心情

共通言語

・人間関係、思いやり

行動の基準

・自分より他人を優先して行動を決める

口癖

ありがとう／〇〇してあげよう／よく

できたね／一緒に／癒される／落ち着く／嬉しい／優しい／幸せ／思い出／よかったね／かわいそうに／◯◯と感じる／雰囲気／ホッとする／かわいい／仲良く／良い匂い／愛情／気持ち良い／ゆったり

話し方

・優しくソフトな声

表情

・柔和な表情。目じりのしわ

姿勢

・リラックスした感じで、やわらかな姿勢

仕草、癖

・優しく手を添えるなど、ボディタッチが多い

服装

・やわらかい、かわいい、着心地の良い服装

オレンジタイプの 基本的な特徴

オレンジタイプは、「調和・心情」といった思考の枠組みをもって世の中を捉えます。**共通言語として「人間関係、思いやり」を用いることで、スムーズな交流を持つことができます。**

人との関わりや他者の気持ちを大切にし、気遣いに長けています。人の心情や健康状態の変化をキャッチする能力も秀でており、感受性も豊かで優しく親しみやすい人柄です。

思いやり、気遣い、調和、協調、といった要素をもち、「包容力がある」「優しい」「穏やか」といった印象を周囲に与えます。

オレンジタイプの 人生の価値観

大切なパートナーからの愛情は、人生を幸せに過ごすためにとても大切な要素です。**人との関わりの中で得られる充足感を喜びと感じ、たとえ仕事で成功しても大切な人からの愛情が枯渇していれば不幸せと感じます。**

お金をたくさん稼いだり、高い地位を得たりすることよりも、人に感謝され喜ばれ、良い人間関係を構築することを優先します。そこに自分の居場所を得ることが人生の成功につながると考えます。

オレンジタイプの ビヘイビア

感情豊かな表情で、柔和な雰囲気を持っています。 リラックスできる空間を好み、人に違和感を与えず、自分も心地よい、優しい感じのコーディネートを好みます。

心情や感情を言葉で表すことが多く、言葉使いも柔らかい印象です。「○○と感じる」「○○な気持ち」「うれしい」「悲しい」「かわいそう」「かわいい」といった言葉をよく使います。

ひとりの人として受容されることを特に心地よいと感じるため、名前を呼ばれることや、「いつもありがとう」といった感謝やねぎらいの言葉を好みます。

オレンジタイプの
人との関わり方

ふだん言いたいことがあっても遠慮している場合があるので、1対1で話を聞く時間を取ることは大切です。面と向かって対峙するのではなく、雰囲気の良い場所などで、感情に寄り添って気軽に話をするくらいが良いでしょう。

話をしているときでも、自分の言葉が受容されているかどうかを気にするので、**話を途中で遮ることは極力避け、「そうだね～」「うん、うん」と、相槌をうちながら話を聞くことがポイントです。**

プレッシャーを与えてしまうと言葉が小さくなり口ごもり、はっきりと答えてくれなくなります。理詰めで質問をするのではなく、「○○な感じだと、どう？」と、雰囲気が伝わる言葉を投げかけることで話しやすくなります。

多くの人と関わりを持ち、良い人間関係を広げて自分の居場所を得ることで幸せを感じます。周囲に対して支持的で人の輪を大切にし、みんなで一緒に物事を進めることを好みます。

仕事で成果を出すことよりも、人間関係を重視します。プライベートを犠牲にして成果を出すことよりも、家族や友人との時間を大切にします。**感謝を明確に伝えられ**

ることは、人として「受容されている」と感じることにつながります。純粋に感謝されたり、困っている人の助けになったりすることが、仕事のモチベーションに結びつくことが多いです。

他者に受容されることで、自分の存在価値を再確認するので、集まりに声をかけられないなど、仲間外れにされたと感じることを嫌がります。**ねぎらいの言葉や気遣いがなく、強い口調で話されることにストレスを感じてしまうため、注意が必要です。**自分のことよりも他者を優先することが多く、非常に献身的です。

オレンジタイプの受けやすい誤解

「こんなことを言ったら失礼なのではないのか？」というように、他者を優先させすぎてしまうことがあります。それによってどこかはっきりしない物言いになることや、他者の意見に合わせすぎることがあり、その姿が自己保身や、八方美人といった印象を与えてしまうことも少なくありません。

オレンジタイプの響く言葉

いつもありがとう／助けてくれてありがとう／なくてはならない存在／ホッとする／よく気が付く／思いやりがある／大事な存在／愛してる／かわいい／素敵／優しい／仲間思い／みんな喜んでいる／感動した／いてくれて良かった／助かった／性格が良い／一緒にいられて嬉しい／一緒にいると明るくなる／元気になれる／何でも話したくなる／気持ちが軽くなった／チームの一員／気が利くね／もてなし上手

オレンジタイプの特徴まとめ

［プラス面］

・支持的
・優しい
・弱いものをかばう
・思いやりがある
・相手に対して共感する
・感受性が強い
・サポート精神豊か
・寛容な精神

［マイナス面］

・過干渉、過保護、心配性
・先回りしてやってしまい、周囲の自主性を奪う
・甘やかしすぎ、お節介
・受容されていないと感じると不安を抱く
・落ち込みやすい
・遠慮しすぎてしまう
・感情の起伏が激しくなる
・自己保身

・周囲に調和をもたらす
・愛を育む
・周囲への気配りや気遣いができる
・心から応援する
・弱者に対して親切
・見栄や意地を張らない
・素直に愛情を表現する
・献身的に支える

・他者を優先させすぎてしまう
・優柔不断
・自己憐憫（れんびん）
・悲劇のヒロインを演じる
・依存的になる
・他者の評価を気にしすぎる
・自己主張ができない
・お願いを断れない

黄タイプ ムーバー

思考の枠組み

・楽しさ、好き、嫌い

共通言語

・楽しさ、ユーモア

行動の基準

・自分の好き嫌いで行動を決める

口癖

好き／嫌い／ぱっと／ざーっと／マジ!?／ウケるー!／むかつくー／面白

そう／すげー／いいねー／イェーイ！／嫌な感じー／面倒くせー／ワクワク／ワァー／きゃー／楽しい／楽しくない／飽きた！／オッケー

話し方

・高めのトーンで、はつらつとした声

表情

・おどけた感じの表情。ニコニコしている

姿勢

・自由で、活気を感じさせる姿勢

仕草、癖

・ジェスチャーが多く、リアクションが大きい

服装

・原色が多く、にぎやかな服装

黄タイプの 基本的な特徴

黄タイプは、「楽しさ、好き・嫌い」といった思考の枠組みをもって世の中を捉えます。**共通言語として「楽しさ、ユーモア」を用いて接することで、スムーズな交流を持つことができます。**

今を楽しむことを最優先し、喜怒哀楽や好き嫌いといった感情をストレートに表現します。ユーモア、クリエイティビティ、ひらめきといった要素を併せ持ち、「明るい」「元気」「自由奔放」といった印象を周囲に与えます。

天真爛漫（てんしんらんまん）な子どものように、「やりたいことを、やりたいときに、やりたいようにやる」。計画的に物事を進めるというよりは、感性にしたがって行動します。ひらめきや直感に優れているので、既成概念や常識にとらわれずに、奇抜なアイデアを生み出したり、生き生きとした活力に富んでいます。

黄タイプの 人生の価値観

楽しくユーモアにあふれた人生を過ごすことに幸せを感じます。物事は自分がやりたいからやる。楽しいからやるのであり、損得勘定や誰かのためにするものでもありません。**自分の感情のままにフルパワーで人生をエンジョイすることが、最大の活力です。**

黄タイプの　ビヘイビア

いつもニコニコしており、楽しいときは楽しく、悲しいときは悲しく、喜怒哀楽がストレートに表情に出ます。「わお！」「いいねー」といった感嘆語や、「キラキラ」「ドキドキ」といった擬態語をよく使います。

明るい雰囲気で場に活力をもたらし、型にはまらない発想でアイデアを生み出す創造力を発揮します。単調な作業や時間通りに決められたことをするのが苦手です。その反面、自由な発想を認められる仕事を好みます。

自分が好きなものに囲まれた空間を好むため、脈絡なく雑多なものを思うまま集め、まるでおもちゃ箱のようです。ＴＰＯを気にせず自分が着たい服を着るといった感じで周囲を驚かすことがありますが、それすらも楽しみます。

黄タイプの 人との関わり方

1対1の重苦しい空気は苦手です。回りくどい伝え方や、論理的な話、理念や信念を中心とした話をされると、途中で飽きます。楽しくない空気や重い雰囲気が苦手なので、それを回避する（すきを見て冗談を言うなど）言動をとる場合があります。

意見のやり取りをする場面では、あまり具体的な話をすることはせず、「そうですね！」「いいですね！」と同調することが多いです。受け手によっては、「いい加減なやつだな」と思われることもあります。

質問や相談をすると、感覚的にふわっとした内容を何となく話すことが多く、深く聞いていこうとしても表面的な話で終わってしまうことがあります。ただ、**「どうすればワクワクする？」「どんな感じだと楽しい？」**といった感じで、感覚に届くような問いを投げかけると、面白いアイデアが出ることがよくあります。

遊び心を持って物事に取り組むことが得意です。**みんなでワイワイ楽しく過ごせる環境を好みます。**自由を奪われることやルールで縛られることは、極端に嫌います。ひらめきや直感といった感覚的な要素に優れているため、クリエイティブで常識にとらわれない発想でアイデアを出したりします。

一見率先して物事を引っ張っていくタイプに見えますが、まずは周囲の状況を見てから動き出すなど、どちらかというと受動的な面を持ちます。

人と触れ合うことを好み、人生を楽しむことを生きがいとします。好き嫌いで物事を捉え、興味がわかないものに対してはすぐに飽きてしまう傾向があります。

楽天的で気持ちの切り替えは早いです。**ガチガチに決められたルールの中よりも、自由にのびのびできる環境であればあるほど、本来の力を発揮しやすくなります。** 張り詰めた雰囲気ではなく、気楽に談笑しながら話せる空気をつくってあげると良いでしょう。

黄タイプの 受けやすい誤解

今を楽しむことで自分を表現します。そのため**「子どもっぽい」「適当（いい加減）」「真剣みがない」「その場しのぎ」「無責任」「わがまま」「気分屋」**といった誤解を受けます。もちろん本人はそんなつもりはありませんので、正しく理解してあげることは必要です。

黄タイプの響く言葉

楽しい／好き／自由／すごいね！／わぉ！／いいね／どんどんいこう／発想がすごい！／遊び心がある／その調子！／絶好調だね／天才／やるね！／よっ！／頭が柔軟だね／おいしそうに食べるね／元気がいいね／待ってました！／驚いた／良いこと言う！／目の付け所が良い／勘が良い／伸び代がある／目の色が違うね／人気者／一緒にいて楽しい／大らかだね／非凡だね／良い人／心が広い／笑顔がいいね

黄タイプの特徴まとめ

［プラス面］
- 天真爛漫
- 自由奔放
- 好奇心旺盛
- ムードメーカー
- ユーモア
- クリエイティブセンスがある
- 型にはまらない発想力
- 多才で物事を楽しむ能力に富む

［マイナス面］
- お調子者
- わがまま
- 気分屋
- 無責任
- 先延ばし
- 無計画
- 飽きっぽい
- 再現性がない

・社交的
・興味や関心の範囲が広い
・楽観的
・気持ちの切り替えが早い
・新しいもの好き
・楽しむことが上手
・色彩感覚豊か

・細かい段取りや計画は苦手
・ツメが甘い
・自分に甘い
・分かっていても上手く説明できない
・気分の起伏が激しい
・ルールを守らない
・すぐふざける

緑タイプ ソーサー

思考の枠組み

・内省、想像

共通言語

・指示、想像

行動の基準

・自発的な行動は少なく、他者からの働きかけで行動

口癖

どうすれば……／○○に似ている／そ

う言えば……／私のペース／(急がせないで)／(ひとりが楽しい)／(ちゃんと従おう)／(目立たないように)

※ほとんどの場合は実際には口にせず、思っているのみ。

話し方

・抑揚が少なく、静かな声

表情

・ほぼ無表情だが、穏やかな感じ

姿勢

・あまり目を合わせない。スッとした姿勢

仕草、癖

・動きは少ない。他者からの呼びかけに答える程度

服装

・独特の世界観で、自分の着たい服を着る

緑タイプの 基本的な特徴

緑タイプは、「内省・想像」といった思考の枠組みをもって世の中を捉えます。**共通言語として、「指示・想像」を用いて接することで、スムーズな交流を持つことができます。**

自分の中にある世界観を大切にし、思慮深く想像力が豊かでひとりの時間を楽しみます。豊かな想像力、平穏、冷静、思慮深さといった要素を持ち、「優しい」「物静か」「控えめ」「質素」「落ち着きがある」といった印象を周囲に与えます。

物事を思慮深く捉え、内省することが得意です。当事者であったとしても、第三者的かつ客観的な視点で物事を捉えることができるので、他の人が気付かないような点を指摘することができます。

変化のある仕事よりもルーティン的な作業が得意で、同じことを繰り返すような仕事でもコツコツと苦にせずやり遂げることができます。

非常に我慢強く、少々のことでは動じないメンタルを持ちます。

緑タイプの 人生の価値観

波風を立てず、平穏で心穏やかな日々を過ごすことが、人生の価値だと考えます。よって、**率先して物事を進めたり、変化を求めたり、新しいことにチャレンジするといったことは好みません。**

緑タイプの ビヘイビア

感情を表に出さず無表情に近いですが、穏やかな表情です。自分の空間は必要最低限のものがそろっていれば事足ります。服装に強いこだわりはなく、簡素でシンプルなものを好みますが、ちょっと変わった格好を好む場合もあります。

自然の中で景色を見ながらボーッとしていると、いつの間にか時間が過ぎているということが少なくありません。

心の中で思うことが多く、自発的に発言することはほとんどありません。ぼそぼそと話すことが多く、突発的な質問をすると黙ってしまいます。他人と長時間接することや騒いだりすることが苦手で、ひとりでいることを好みます。

緑タイプの 人との関わり方

にぎやかな空間が苦手で、対話は1対1が理想です。質問攻めにされると答えに窮し、どんどん自分の内側に入り込んでいってしまいます。

質問に対してテンポよく返答してくることは少なく、返答がないこともあります。そのため、こちらも言い方を変えて質問を投げかけてしまいがちになりますが、質問した後に相手のテンポに合わせて返答を待つようにすると良いでしょう。

一度に複数の質問をするのではなく、一つひとつ丁寧に答えを待ってから、次の質問を投げかけるようにしないと、混乱を招き黙ってしまいます。黙り始めるとこちらもまた質問を投げかけてしまい、さらに沈黙が続くという悪循環にはまってしまいます。

指示をするときは具体的な内容を伝えることで、外側の世界へ意識を向かせ、行動へといざなうことが大事です。

例えば「この資料から必要なポイントをピックして、何となくうまい具合にまとめといて。必要ならネットを適当に調べてみてね」といった抽象的な指示は、ストレスを与える要因になります。

「いつまでにやればいいのか」「必要なポイントとは何を指すのか」「うまい具合とはどういうことか」「適当に調べるとはどういうことか」など、とにかく具体的な指示を出せば出すほど、生産性を高めることができます。

他者からの働きかけで行動に移すことが多いですが、緑タイプ自身が自分の特徴を理解している場合は、自分で自分に明確な指示を出すことで行動に移すことができます。

緑タイプの 受けやすい誤解

自発的に行動を起こしたり、意見を活発に述べたりすることは得意ではありません。そのため集団の中では、**「気が利かない」「空気が読めない」「自主性がない」「ボーッとしている」「鈍い」「何を考えているかわからない」**といった誤解を受けます。

当たり前の話ですが、所属欲求や承認欲求がないわけではありません。人として受容されていないのは嫌だと感じますし、認められれば嬉しいと感じます。周囲がきちんとその特徴を理解して接してあげることで、能力を最大限に発揮させることができるのです。

緑タイプの響く言葉

いつも一生懸命／ひたむき／確実／堅実／正確／丁寧／抜かりがない／研究熱心／個性的／コツコツ頑張っている／温厚／争わない／筋が良い／手堅い／粘り強い／じっくり考えている／ひとつのことに集中する／人に左右されない／マイペース／感性が豊か／清楚

緑タイプの特徴まとめ

［プラス面］

・協調性がある
・優等生タイプ
・周囲の空気を読む
・優しい
・我慢強い
・繊細で控えめ
・期待に応えようと努力する
・従順

［マイナス面］

・我慢しすぎる
・考えを伝えない
・意思表示をしない
・主体性が乏しい
・依存的
・感情表現をしない
・自発性が低く指示、変化を待つ
・自分の殻にこもる

・単調な作業でもコツコツ対応する
・地道に努力する
・保守的
・過去の出来事を事細かに覚えている
・仕事の報告など明瞭に伝えることができる
・聞き上手
・内面に豊かな世界観を持つ
・第三者的視点で他の人が気付かない点に気付く
・哲学的なものの捉え方をする

・優柔不断
・切り替えが下手
・様々な感情を自分の中に押さえ込む
・突発的な対応が苦手
・瞬発力がない

赤タイプ ブレイバー

思考の枠組み

・行動、刺激

共通言語

・主導権、刺激

行動の基準

・チャンス、刺激を得るために行動する

口癖

要点は？／結論は？／どうなった？／

で、何？／やるしかない／もういいよ／やってみなくちゃわからない／○○して／挑戦／要領良く／即行で／いますぐ／いまがチャンス／勝負／最高／特別／燃える／興奮する

話し方

・小気味良く、はっきりした声

表情

・無表情に近いが、キリっと凛々しい感じ

姿勢

・自信に満ちて、堂々とした姿勢

仕草、癖

・足を組む。指やあごで指図

服装

・派手な服装。人とは違う格好

赤タイプの 基本的な特徴

赤タイプは、「行動・刺激」といった思考の枠組みをもって世の中を捉えます。**共通言語として「主導権・刺激」を用いて接することで、スムーズな交流を持つことができます。**

行動力にあふれ、交渉や駆け引きが上手く、人を惹きつける魅力を持ちます。損得勘定にたけ、リスクを恐れず挑戦をすることができます。

順応性、アクティブ、行動力、勝負勘、チャンスへの鋭い嗅覚といった要素を持ち、「駆け引き上手」「要領が良い」「チャレンジャー」といった印象を周囲に与えます。

持ち前の交渉力や要領の良さを生かし、物事を前進させる力を持ちます。周囲をけん引していくリーダーシップと、人を惹きつける魅力を持ちます。挑戦するハードルが高いほど、勝負強さを発揮します。

このような特徴から、「自分は特別」と思っているので、他の人と同じことをさせられたり、他の人と同じように扱われたりすることを嫌います。

赤タイプの　人生の価値観

チャレンジ精神旺盛で、チャンスと思ったらリスクを恐れずに挑戦し、エキサイティングな人生を送ることを人生の成功と考えます。**「行動と挑戦で自分が求めるものを自らの手でつかみ取る」**という考えのもと、次々とアクションを起こします。

赤タイプの　ビヘイビア

キリッとした表情をしており、颯爽と歩きます。

高価なものや本物でなくても、人目を引くゴージャスに見えるもの、赤や黒といったはっきりした原色を好みます。豪華なマンションに住んだり、格好の良い派手な服装や小物を揃えたりします。ギャンブルやレースなどヒリヒリした時間を過ごすことを好みます。

結論からズバッと話すことを好み、「要点は」「結論は」「で？」といったように短く端的な言葉をよく使います。行動と挑戦で人生を切り開くと考えているので、「チャンス」「チャレンジ」「今すぐ」といった言葉にワクワクします。

赤タイプの 人との関わり方

1対1でも1対多でも苦にしません。回りくどい物言いや、論理的で理詰めで話される、理念や信念を中心とした話をされることを嫌います。必要なことを端的にスパッと伝えるのが良いです。質問に瞬発的に答える傾向があるので、端的な言葉を投げかければ投げかけるほどテンポよく話が進みます。

自分のことは自分でする一匹狼的な特徴を持ち、単独行動を好みます。同時に順応性があり魅力的で要領がいいので、上手に人脈をつくり、ビジネスチャンスを広げたりすることができます。**ハイリスクでもリターンが大きければ挑戦することが当たり前と考え、チャレンジする度胸も持ちます。**プロセスよりも結果を重視します。長期的な計画を立てコツコツ積み重ねることよりも、短期集中で取り組み結果が出ないと見切りも早く、常にチャンスを探しています。

瞬発的な思いつきを、さも今まで考えていたかのように話すことがあります。これ自体は悪いことではありませんが、真に受けておかしな方向へ進まないように、受け手は「それはいつから考えていたの?」「その場合はどうすればいいと思う?」など、質問を投げかけ、真偽を見極めるようにする必要があります。その場での思いつきで話している場合は、話に矛盾点が多く表れてきますので、ある程度こちらでも気づくことができます。ただ、思いつきが素晴らしいヒントになる場合もあるので、「いい加減なやつ」といったレッテルを貼らないようにしてください。

「思いつきで話しても話をきちんと聞いてくれるが、この人には通用しないんだな」と理解させることが必要です。主導権を渡しているように見せながらも、こちらが主導権を握っているというイメージでしょうか。茶タイプ上司が「進捗は問題ないのか？」と聞いた時、本当はあまり進んでなくても自信満々に「もちろん大丈夫です！」とキッパリ答えることがあります。自信満々に答えられると、「それなら大丈夫か……」と思ってしまい、それ以上突っ込んだ話をしないと、後から「あれ？　全然大丈夫じゃないぞ！」ということが起こります。

赤タイプは最終的に帳尻を合わせればいいと思っているのと、途中経過の段階で、いちいちうるさく言われるのが面倒という心理背景があると考えられますが、気になることがあるときは、言葉だけでなく、資料を確認するなどしてわかる形で確認するなどの対処が必要です。

それでもうまく監視の目をかわそうとしてくるので、そんなやり取りも楽しめるようになると、赤タイプを扱うエキスパートと言えるでしょう。

赤タイプの 受けやすい誤解

自分は他の人とは違う特別な存在という考えを持ち、他者と調和をとるよりも行動で物事を突破することで自分を表現します。そのため、**「生意気」「デリカシーがない」「考えが浅い」「調子がいい」「自分勝手」**といった誤解を受けます。

赤タイプの 響く言葉

チャレンジ／挑戦／やってみる／特別／交渉力がある／フットワークが軽い／格が違う／たいしたもの／さすが！／やるね！／勢い／威勢が良い／願ってもない／最高／豪快／スケールが大きい／カリスマ／機転が利く／要領が良い／人が集まる／タフ／アクティブ／存在感がある／輝いている／統率力／心を奪われる／忘れられない経験／ゴージャス／魅力的／チャンス／逆転／千載一遇／いましかない／君しかいない／ビッグチャンス／とにかくやろう／見返そう

赤タイプの 特徴まとめ

［プラス面］

［マイナス面］

・圧倒的な行動力
・適応能力が高い
・交渉力が高い
・人を惹きつける魅力を持つ
・逆境に強い
・チャレンジ精神旺盛
・闘争心がある
・一発逆転の結果を出す
・チャンスへの嗅覚
・勝ち負けにこだわる
・状況を打開する力を持つ
・決断力がある
・変革をいとわない
・人を惹きつける魅力がある
・結果にこだわる
・大きなリターンに燃える

・見栄を張る
・単調な仕事はやりたくない
・細かいことは考えない
・人の意見を聞かない
・不満をぶつける
・反発する
・混乱させる
・攻撃を仕掛ける
・ルールを破る
・スタンドプレー
・協調性に欠ける
・非協力的
・ダメだと思ったら見切りが早い
・他者を支配しようとする
・自分を一段高い所に置く

第3章

思考タイプ別の接し方を知る

部下のタイプの見分け方

本章では、パーソナリティ・タイプを基準に、チームメンバーとより円滑なコミュニケーションをする方法について、具体的にお話しします。**簡単に言うと、相手のタイプに合わせて柔軟に変化させていくということです。**

そのためには、まずはメンバーのタイプが理解できていないといけないわけですが、全員にこの本のことを教えて「ちょっと、これ買って読んでみて」というわけにもいきません。

結論から言うと、パーソナリティ・タイプ本診断（https://ctac.or.jp/type）を受けてもらわない限り、相手がどんなタイプなのかは正確にはわかりません。ただ、どんなタイプが強いかは、ある程度見当をつけることができます。

オーソドックスな判断方法は、相手の言動や態度を観察することです。第2章でお話ししたように、各タイプの特徴は姿勢や口癖、声のトーンなど、いろいろな面に表れます。

ここまで読んだだけでも、チームのメンバーを思い出して「あいつ絶対、青だな」

「あの人はもしかしたら緑なのかも」と想像しているのではないでしょうか。

○クールな感じで、数字に強く、スマートな動き
○昼休憩はひとりでひっそりと、読書をして過ごす
○やわらかい表情で、優しく接してくれる

こんなメンバー、いませんか？　これはどんなタイプの特徴でしょうか。

また、相手がストレスを感じている状態ではパーソナリティ・タイプの特徴がとても強く表れます。そこから相手のタイプを知ることができます。本章では、各タイプがストレスを感じる要素をまとめてあります。その中からいくつかピックして、心理背景を交えて3つにカテゴライズしています。

このような方法から、相手の色の見当がついたら、そのタイプにあった対応を覚えればいいだけです。ストレス状態の特徴と併せて、各思考タイプに合わせた接し方を説明していきます。


人はポジティブな状態のときは、同じ事象が起きたとしても上手に処理することができるのですが、心の状態が良くないときは、ネガティブな受け取り方をしてしまうものです。**こうした状態を「ディストレス」と言います。**

ディストレスの症状は、各タイプによって表れ方が異なりますが、単純化すると次のようになります。

○茶タイプ（ディレクター）：攻撃
○青タイプ（コンセプチャー）：攻撃
○オレンジタイプ（アコーダー）：自責
○黄タイプ（ムーバー）：他責
○緑タイプ（ソーサー）：内側へ引きこもる
○赤タイプ（ブレイバー）：反抗

これから各タイプの心の状態が悪くなっていく（ディストレスが深くなる）過程で、どのような態度の変化があるのかを、本章ではお伝えします。どのタイプがダメか、ということではありません。どのタイプであっても、ディストレス状態は自分にも周囲にも良いことはありません。

基本的にストレス状態に陥っている人はすべての物事を湾曲して捉えてしまっている状態で、スムーズなコミュニケーションは期待できません、

人は小さなフラストレーションを感じると、無意識に言動や態度として表面化していきます。**私たちはこれを「ディストレスのサイン」と呼んでいます。**サインが何度も続くと「ディストレス」となっていきます。サインが出ている段階で、周囲が気づいてケアすることが大切です。

茶タイプ（ディレクター）

●フラストレーションを感じる要素

自分の意見を伝えてこない／信頼を裏切る行為／悪ふざけ／筋が通っていない言動／礼儀正しくない／義理人情に欠ける／人の話を真剣に聞かない／話をすり替えられる／プロセスをないがしろにされる／取り組んでいることへの否定／ルールを破られる／口だけで言葉に情熱がない／歯切れの悪い話し方／「報連相」がない／ちょっかいを出される（小ばかにされる）

茶タイプは全体の状況を管理し、価値観や信念を重視するため、他者がどのような価値観や信念をもっているかということや、取り組んでいることに対しての熱量、責任、思いといったものを把握したいと思っています。

自分がそうであるように、意見があればはっきりと口に出して当たり前。口に出せないということは、「真剣に物事に向き合っていない」ということだ、といった価値基準をもっています。

そのため、「自分の意見を伝えてこない」や、「歯切れが悪い話し方をする」というのは、茶タイプが感じる心地よい接し方といった価値基準を満たさないので、フラストレーションを抱く要素となります。

茶タイプは、物事に対して礼儀を重んじ、筋を通し、正しくあろうとします。その基準で他者と対峙したときに、「挨拶をきちんとしない」「目上の人に対して口の利き方がなっていない」「馴れ馴れしい態度を取る」といったことは失礼だと受け取られてしまいます。

ルールを破るという場合についても、「決めたことを守らない人は正しくない」という考えを持ちます。

また例えば、直属の部下が自分を飛び越えて別の上司と何らかのやり取りをしたり、会議内容の突然変更など、事後報告されたりすることを嫌います。自分の知らない所で物事が動くのは「管理できていない（管理不足）」「自分を信頼されていない」「ないがしろにされている」と受け取る傾向があります。言ってしまえば、体裁を気にする面が強いので、面目をつぶされたりすることは極端に嫌います。事前にひと言伝えておくなど、本人の顔をつぶさないように、いわゆる根回しをしておくと、スムーズに物事を動かしやすいです。

基本的に自分の中の価値基準を満たしていない（少なからず自分が納得していない）と行動に移したくありません。

達成までのプロセスであっても自分の価値基準を基に行動を起こしているので、それをないがしろにされるというのは、本人が持っている価値観を暗に否定されているのと同じことになるのです。

もちろん、本人が納得いかずに仕方なく取り組まなければならない場面もありますが、その状況を何度も与えてしまうと、不信の確信を固めてしまい、重箱の隅をつつくようなことを言って突っかかってくる、ということが多くなります。

フラストレーションのサイン

- 〇「ん？」という表情（疑念）
- 〇眉間のしわが深くなる

○グッと睨むような目つきになる
○身体にグッと力が入る（緊張状態）
○声が大きくなる

フラストレーションが溜まったときの言動

○相手の間違っているところにばかり目が行く。粗探しをする
○自分の物差しでネガティブな思い込みが強くなり、否定的な評価をくだす
○「先輩でもそんな簡単なミスするんですね」など嫌味な物言いをする

茶タイプはフラストレーションが溜まってくると、自分の支えとなっている価値観や信念を間違った形で固辞しようとします。**自分以外は信用できないと思うようになり、相手の間違っている所に目を向けることで、「やっぱりあの人はダメだな」というネガティブな確信を固めていきます。**

茶タイプは世の中を常に評価しようとしていますが、フラストレーションが溜まっていくと、無意識にそれが否定的な評価の基準になっていきます。そのうち、自分が

持っている価値観に少しでも反することをされると、「けしからん」といった評価を下すようになります。

一度自分の価値観を固めると、その価値観を覆すのは簡単ではありません。そのため、ネガティブな評価をされるターゲットにされてしまうと、その人は非常につらい立場に追いやられてしまうことが少なくありません。

フラストレーションが深まると、自分の価値観や信念を強く誇示したり、相手に嫌味な物言いをしたりします。自分を優位に置き、「わたしはＯＫ」「あなたはＯＫではない」という立場を取るようになります。

ディストレス状態の特徴

○不必要に疑い深くなる
○「本当にそれでお客様が納得すると思ってるの？」など、相手の本気度を試す
○支配的になり、その場を仕切り出す
○独善的になり他者の意見を聞き入れなくなる
○「君のためを思って言っているんだ！」など自分の態度や意見を強く押し付ける

○自分の信念に反する人を敵視する

○相手を見限る（誰も信用できない！）

○「君、誰？」など相手をいない人として扱う

ディストレス状態が強くなっているときは、ちょっとしたことでも疑いを持つようになります。例えば今まで良好に信頼関係を構築していたのに、何かがきっかけで信頼関係が崩れそうになった場合など、**「今まで自分に対して良く接してくれていたのは、もしかしたら自分を利用しようとしていたからなのかもしれない」**といった不信感を抱くようになります。過去のそれらしき言動を思い返しながら、今の言動を見て、「やっぱりそうだな！」と勝手に不信を確信に変えていってしまいます。

こうなってしまうと、すべての言動が間違った確信につながってしまい、フラットな状態でその人と対峙することが難しくなってしまいます。不信を抱いた対象者の言動すべてにストレスを強めていくようになっていき、気づいたときには敵対の構図を作り上げるか、ハラスメントトラブルに発展してしまう場合があります。

茶タイプは常に全体の状況を管理しておきたいと考えています。この背景には、

「自分が課されている役割をきちんとこなさなければならない」といった思いがあるのですが、ディストレス状態が続くと、より管理しようとする傾向が強くなります。

ストレートな言い方をすると、**ディストレス状態にある茶タイプの管理のスタイルは「支配」です。**これは他者に対する不信からくるものでもありますが、「わたしはOK」「あなたはOKではない」という考えが強くなり、どんどん支配的になっていきます。

「自分以外は信用できない」といった考えがムクムクと芽生え、強くなることで、「私の言うとおりにやればいい」とか「こうするべきだ」「こうすることが当たり前だ」と、自分の意見や価値観を強く押し付けるようになります。

他者だけでなく、自分に対しても「こうするべき」「こうしなければならない」と思うので、どんどんと「べき論」が強化されていきます。そんな状態では、すべてが思い通りに行かなくなっていきます。そうしてさらにストレスが強くなっていくという、負の循環に陥ります。

この状態になっていると、本人はもう何にイライラしているのかもわからなくなりますし、イライラしていることにすら気づきません。とにかく「自分以外は認めない」という状態になっています。常に誰かターゲットを探している状態でもありますので、下手に近づくのは危険です。

さらにその状態が続いていくと、独善的になり他者の意見を一切聞き入れなくなっていきます。このとき、アドバイス（仲介）をした人に対しても「あっち側の人間なのか？」と猜疑心を抱き、敵視されてしまうこともあります。

結果的に、「もう誰も信用できない」という確信を固め、どんどん孤立していき、そのループに嵌り続け、ディストレスの悪循環から抜け出せなくなってしまいます。

敵視した相手に対しては、「もう必要のない存在だ」という確信が固まるため、そうなると〝もう、いないもの〟として接していくようになります。

茶タイプ（ディレクター）との接し方

●意見を述べた後に、意見を聞く

茶タイプは「価値観・意見・信念」で世の中を捉えています。相手が上司であれ部下であれ、茶タイプと接するときには、はっきりとした物言いで話すのが良いです。

「〇〇な理由でこうしたいと思っている。あなたはどう思いますか？」というように、自分の意見を述べてから相手がどういう意見を持っているかを投げかけると、意見の押しつけにならず、建設的な会話をすることが可能です。

このとき一方的に「○○な理由でこういう結論になりましたので、とにかくやってください」という伝え方をすると、思うように動いてもらえません。また事あるごとに突っかかってくることもあるので注意が必要です。

●プロセスを認め、寄り添いながら一緒に考える

例えば、一生懸命頑張っているが、なかなか成果を出せない、茶タイプの特徴が強い部下がいるとします。

青タイプや赤タイプの特徴が強い上司の場合、「一生懸命やっても結果を出せなかったら意味ないよね」と、プロセスを無視してアドバイスしがちです。そうではなく、きちんとプロセスを認めたうえで、どのような考えを持っているかを聞くことが必要です。そのうえで、青タイプ上司の場合なら、自分が得意とするやり方を提示しながら、「どう思う？」といった感じで意見を聞きながら、アドバイスしてください。

理詰めで「○○で○○だから、こうしないとダメだよね」「そんなやり方で結果出せるわけないよね？」といった言い方はNGです。**お互いの意見をしっかりと交換したうえで、「努力は裏切らない。一緒に頑張っていこう！」といった感じで、進めて**

いくと良いでしょう。

茶タイプは努力を重ねていくことができ、少しくらい不器用だとしても粘り強く物事に取り組むことで、本当に大きな成果を挙げることがあります。現状だけを見て早急に結論を出すことは避けてください。本人が大変なときに、きちんと向き合ってサポートして信頼関係を構築しておくことは、長い目で見ればプラスになって返ってくると信じて接してください。

チームリーダーとしての適性

茶タイプはリーダーとしての役割をきちんと全うするため、粉骨砕身で物事に取り組みます。持ち前の責任感と熱い思い、やり遂げる強さを武器にチームをまとめ、目標達成のために、仲間に対して正面から向き合い、語り合い、献身的にサポートし、強いチームを作り上げていくことができます。

理想とする形は、誰一人として欠けることなく、お互いがぶつかり合いながらも努力を重ね、真に助け合いながら、思いをひとつに目標を成し遂げるチームです。

一方で、チームが思う様に機能しなくなると、次のような症状が表面化してきます。

○チームや個人への不信感を抱く
○チームや個人のあら探しをする
○チームや個人の本気度を試す
○嫌味な物言いをするようになる。他者への当たりが強くなる
○ルールを厳しくし、支配的になる
○条件付けが始まる（ルールを守るなら認めてあげよう）
○威圧的になり、自分の力を誇示しようとする
○チーム全体が言いたいことが言えない雰囲気になっていく
○チーム全体に悪い影響を与えている人を探す（犯人捜し）
○ターゲットを見つけ厳しく接する
○どんどん独善的になり、自分以外すべてがダメに映る。他人の声が届かない
○気に入らない人を排除する
○ＹＥＳマンだけを身近に置くようになり、チームが停滞していく

●茶タイプ（ディレクター）が意識しておくこと

あなたが茶タイプの特徴が強い場合、フラストレーションを抱き始めると、対峙する相手に対して無意識に威圧的な態度を取るようになります。特に部下やチームメンバーに対してはもちろんですが、上司に対しても自分が納得いくまで物申すことも少なくありません。

相手が茶タイプであれば、とことんまで話し合うことができるかもしれませんが、実際にはなかなか難しいこともあると思います。

強いストレス状態が続くと、ターゲットが個人へと向かい、そのターゲットが弱ったりするとまた別のターゲットをロックオンします。さらに、ロックオンしたターゲットが反発してくるなどすると、完全に対立の構図になってしまいます。

マインドとして、相手の本気度を試したりせず、**「疑わなくてよい」「完璧でなくともよい」「自分の価値観や信念が揺らいだとしても否定につながらないから大丈夫」**と言い聞かせることがとても重要です。

青タイプ（コンセプチャー）

●フラストレーションを感じる要素

段取りを狂わされる／要領を得ない話／長話／時間にルーズ／整理整頓されていない空間／非効率／感情で接してこられる／目的のない行為／数字やエビデンスが曖昧／論理的でない／勝手に身の回りを片付けられる／成果につながらない行為／整合性のない話／質問に明確に答えてもらえない／計画性のない行為／だらしない／「報連相」がない／同じことを何度も聞かれる／不確かな情報伝達

青タイプは計画的にタスクを管理し、クリアしていくことに心地よさを感じます。**計画や段取りが狂うということは、自分が考えた通りに物事が進まないということになるので、突発的な仕事の依頼などに対してストレスを感じます。**

全体を把握してから細分化する思考を自然に行うので、逆算思考で物事を考えない人や、締め切りなどの時間をきちんと伝えてくれない人、物事の輪郭が見えない情報伝達に対してもフラストレーションを抱きます。

データや客観的事実を用いて状況を把握し、打ち手や計画を考えるので、数字やエビデンスが曖昧ということは、裏付けや判断材料がなくなってしまうことを意味するため、非常に嫌がります。

客観的データの他に、一次情報も大切にするため、質問に対して曖昧な回答や感情で話されると、客観的情報の解像度がぼやけてしまい、自分が求めている情報をキャッチできなくなるので、フラストレーションを抱きます。

効率良く成果を挙げることが能力の証と捉える傾向が強いため、成果につながらない行為を繰り返している状況にも、フラストレーションを抱きます。

どんなに気合いや根性を唱えても、成果が出なければ意味がないと思っているため、非効率な行動を見ると、「それ、意味ある?」と言ってしまい、周囲の空気を凍らせてしまうときがあります

成果、合理性、効率、計画といった要素を大切にしているため、「成果を出せない」「計画通りに進められない」「段取りを狂わされる」「管理できない」状況などは、自分の能力の否定につながるという思い込みがあるので、これらが揺らぐとき、強いストレスを感じます。

●フラストレーションのサイン

○舌打ち
○指を机に「トントントン」
○貧乏ゆすり
○「ん?」という表情（論理を疑う）
○普段より早口
○相手に話す間を与えないほどに過剰な弁明

●フラストレーションが溜まったときの言動

○過剰な弁明と条件付けをしてくる
○「自分ならもっとうまく効率的にできる」と考える
○仕事を人に任せられず、自分でやってしまう（「もういいよ、俺がやる」）

青タイプはフラストレーションが溜まってくると、時間管理や段取りやタスクといった、物事を完璧にこなそうとする意識がより強くなっていきます。**これも能力の否定を避けるためと捉えることができる行為です。**

例えば、ちょっとしたミスをしたとき、必要以上に情報を与え、過剰な弁明をするときがあります。これは多くの情報を伝えることで、後から「聞いてない」「何でちゃんと伝えなかったの？」と能力を否定されるようなことを言われる事態を回避するという心理が働いていると考えることができます。しかし、いつもの論理的で整理された内容ではなく、的を得ない混乱した内容になる傾向があります。

また、普段であれば自分のキャパを把握しながら計画を立て仕事に取り組むのに、仕事を他人に任せられなくなり、必要以上に他人の仕事まで抱え込んでしまったり、他人の仕事にまで口出しをしたりして、仕事のやり方や進め方をコントロールしようとします。能力を強く誇示するようになり、「わたしはＯＫ」「あなたはＯＫではない」という立場を取るようになります。

●ディストレス状態の特徴

○相手の思考力のなさにイラ立つ

○上から目線で攻撃（「なんでこんなことがわからないんだ！」）
○他者からの指摘に対してイラ立つ
○時間、金銭、責任の領域にうるさくなる（「時間がない。誰が責任を取るんだ！」）
○相手を拒絶する（「どいつもこいつもバカばっかりだ！」）

合理的・効率的に物事を進められない相手に対して、「なぜこんなこともできないの？」「考えたらわかるでしょ！」といったように、自分が能力と捉えている要素に対して強く指摘してきます。

この状態に陥っているとき、本人的には対峙している相手の人間性を否定しているのではなく、あくまで能力や考えに対して指摘しているつもりなのですが、とにかく理詰めで早口でまくし立てて、場合によっては怒りを表面化します。気持ちが落ち着くといつもの冷静さを取り戻して、普段通り手助けをしてくれますが、手遅れです。相手に不快を与えてしまっています。

青タイプがディストレス状態に陥っているときは、ちょっとしたアドバイスや意見などに対して、「そんなこと言われなくてもわかってる」とよけいイライラを募らせ、マイナスに働いてしまいます。

ディストレス状態になっているときは、どのタイプもネガティブに物事を受け止めてしまいます。こちらはそんなつもりが無くても、能力を否定されていると受け取ってしまいます。

さらにディストレスが深まると、自分がやったほうが効果的で完璧にこなせるという思い込みがどんどん強くなっていきます。「わたしはＯＫ」「あなたはＯＫではない」という思考にとらわれているため、何らかのトラブルが起きたとき、「どうせあなたでは解決できないだろう？」という考えが強くなります。そのため、責任の領域について責めたりします。

特にお金の管理などは非常にうるさくなり、自分で管理したほうが間違いがないと考え、すべてを管理するようになる傾向が非常に多いです。

最終的には、周りにいるのは自分と同等のレベルで物事に対処できない人ばかりだ、という間違った確信を固め、「バカばっかりだ」と相手を拒絶するようになってしまい、負のループから抜け出すことができなくなっていきます。

●青タイプ（コンセプチャー）との接し方

●段取りを狂わさない

青タイプは「論理・思考・効率」で世の中を捉えています。**段取りや計画といった要素を非常に重要視しているため、それらを崩さないというのが大切です。**

社内でも、チャットやメールを活用してできる限り仕事をさえぎらないようにするのが良いです。また、声をかけるときは「5分良いですか？」というように時間を区切るようにします。ビジネス書などにある「『○分いいですか？』と声をかけるのができるビジネスマン」といった話は、基本的に青タイプの特徴を持つ人に響くということですね。

茶タイプも青タイプも、話しかけにくそうと思われがちですが、基本的には目標達成のために協力的ですので、接し方さえ間違わなければ最大限、協力してくれます。

●客観的事実と数字で話す

青タイプは客観的情報を集めることで物事を判断しようとします。エビデンス、数字、客観的事実（いつ、どこで、だれが、なにを、なぜ、どうやって）など、状況を伝えるときは、時間軸や背景を伝えるようにすると良いでしょう。

例えば営業の報告などで、「これはどういうこと？」と訊くと、「○○と思います・・・・」という感じで話す人がいますが、この伝え方をされると青タイプはフラストレーションを抱きます。

なぜなら、「思います」というのは、伝える側の考えが入ってしまっているからです。**それなら、「聞けていないので確認します」とか「今回は確認していませんが、以前こう言ってました」と答えたほうが良いです。**もちろん毎回「聞けていません」だと、「何してんの？」となるので注意が必要です。

チームリーダーとしての適性

青タイプはリーダーとして全体を管理し、チームをまとめ、段取りよく物事を進めていきます。

的確な情報収集と分析力を武器に逆算思考で計画を立て、効率的なチームを構築していきます。与えられた仕事は期限内に全うすることが当たり前であり、そのためにどうすればよいのかを考え、実行するためのプランを立て、タスクを明確にし、段取りを組み、ツールを活用し、成果を挙げるためのチームを作り上げていきます。

理想とする形は、必要な情報は瞬時に共有され、PDCAを回しながら改善し、数字や客観的事実を共通言語として、効率的に成果を挙げることができるチームです。

一方で、チームが思うように機能しなくなると、次のような症状が表面化してきます。

○チームや個人の非効率さが気になる
○時間管理や進捗管理が細かくなる
○「自分がやったほうが早い」と思い始める
○考えの足りなさを指摘する（「考えればわかるでしょ？」）
○人に仕事を任せられなくなり、仕事を抱え込む
○他者に時間を奪われることに対し、極端にイライラする
○自分が忙しくなることで時間に追われ適切なサポートができなくなる
○非効率な相手を理詰めで追い込む
○常にピリピリした空気になり活発なやり取りが少なくなる

●青タイプ（コンセプチャー）が意識すること

もしあなたが青タイプの特徴が強く、集中して作業するときに邪魔してほしくないのであれば、「○時までは集中したいので話しかけるのはやめて欲しい」と伝えることです。

また、質問に対して事実以外を混ぜて話してくる部下や後輩にフラストレーションを抱くようであれば、事実だけを知りたいので、「聞いてなければ、聞いてないと言って」と伝えておくことが必要です。

話の内容の精査をするのではなく、まずは「聞いたか、聞いていないか」の確認をするのです。聞いているのなら、必要なことであれば再確認してもらえばいいですし、聞いてないのであれば、本当にそれを再確認する必要があるのか精査すればいいだけですので、フラストレーションを溜めることはなくなります。

青タイプはフラストレーションを抱き始めると、時間や責任といった領域に対して非常に過敏になっていく傾向が高まります。

そのような考えが強くなると、「自分ならもっと効率的にできる」「自分がやったほうが正確で早い」と考えるようになり、必要以上に仕事を抱え込み、さらに時間に追われるようになります。もちろんミスも増えます。

マインドとして、**「すべての情報が出揃わなくても後から必要なものは吸い上げれば大丈夫」「完璧でなくともよい、いびつな状況を受け入れてあげることも必要だ」「成果や効率だけでその人をはかるものではないから、肩の力を抜いてもOK」**と言い聞かせることがとても重要です。

オレンジタイプ（アコーダー）

フラストレーションを感じる要素

気遣いのない言動／前置きなく結論から話される／ひとりの人間として受容されない／強い口調で意見を問いただされる／名前を間違えられる／無視や仲間外れ／大きい声で話される／冷たい態度をとられる／相手に喜んでもらえない／ゆっくりする時間が取れない／記念日を忘れられる／人との関わりを絶たれる／強く意見や考えがぶつかっている空間／ストレートに厳しい意見を言われる／共感を得られない

どのタイプでもそうですが、強い口調や早口、大きな声で意見や考えを求められると、威圧的に感じたり責められているように思ったり、良い気はしません。

オレンジタイプは特に、「自分が何か不快を与えてしまったのかな？」と不安に駆られてしまいます。不安を感じたオレンジタイプは委縮してしまい、質問に対して明確に答えることができなくなってしまいます。声が小さくなりオドオドとした感じになるので、さらに相手をイライラさせてしまいます。

共感や調和を大切にする背景には、ひとりの人として受容されたいという欲求があります。相手に喜んでもらうことは自分を肯定するひとつの表現方法、という捉え方ができます。自分が相手に尽くしたことに対して喜んでもらえないということは、受容されていないということだと感じ取ってしまうので、存在の否定にもつながってしまいます。これは非常に強いストレスとなります。

ドライな関係ではなく、心でつながることに喜びを感じます。前置きなく話されると、威圧的に感じたり、受容されていないように感じたりしてしまうため、肯定感が下がり、メンタルがネガティブな方向に振れて行ってしまいます。

フラストレーションのサイン

○言葉が詰まって出なくなる
○猫背になる
○悲しい表情
○煮え切らない態度

○声がどんどん小さくなる

●フラストレーションが溜まったときの言動

○相手の顔色をうかがいながらオドオド煮え切らない態度で話す
○必要以上に相手を喜ばせようとする。自己主張ができなくなる
○物事を決断できなくなる。遠慮する。断れない

オレンジタイプはフラストレーションが溜まってくると、相手に嫌われないように（受け入れてもらいたい）と強く思うようになっていきます。この背景には「ひとりの人として受容してほしい」という欲求が影響しており、過度にそれを求めてしまうため、自己主張ができなくなっていってしまいます。

無意識に相手に合わせようと顔色をうかがうようになり、声が小さくなり、どこかオドオドしているように受け止められてしまいます。

お願いに対して断れなくなったり、必要以上に尽くそうとしたりします。それらが重なると優柔不断となり、決断を他人に委ねてしまうようになっていきます。

そうして、「わたしはＯＫではない」「あなたはＯＫ」という立場を取るようになります。部下に対してもはっきりと物を言えなくなり、嫌だと思いながらも「やりやすいようにやってみて」と言ってしまい、後からトラブルになってしまうということもあります。

ディストレス状態の特徴

○注意力が散漫になる
○無意識に単純なミスや物忘れを連発する
○自己批判、自嘲、自己不信
○アルコールや辛いものなど刺激物に頼る
○拒絶感を抱く（「誰からも愛されていない」）

ディストレス状態に陥ると、他者からどう見られているかということに意識が向いてしまい、話が耳に入らないなど、注意力が散漫になります。結果的に単純なミスや物忘れを連発するようになっていきます。また、昨日までできていたことが突然できなくなったりということが起きます。この状態になると、他者から指摘され混乱に陥り、さらにミスを繰り返すという負のループにはまってしまいます。**ミスを繰り返すうちに、「自分はダメなんだ」と間違った確信を固めていってしまい、自己批判や自嘲することで自分を卑下し、最終的に自己不信や自己肯定感の低下に陥ってしまいます。**

ディストレス状態がさらに深まると、周囲に不快をあたえないようにいつも身だしなみを気にしていたにもかかわらず、無頓着になってきたり、辛い物やアルコールといった刺激物に頼るようになる傾向があります。

刺激物やアルコールの摂取はオレンジタイプに限った話ではありませんが、別の刺激を求めることで、ストレスを紛らわそうとしているだけです。辛い物を食べると「エンドルフィン」という快楽ホルモンが分泌されます。

アルコールは脳の興奮を抑える神経を活性化するので、鎮静剤を飲んでいるような効果はありますが、問題を先送りにしているだけなので、事態を解決することができずに悪化させていきます。辛い物もアルコールも、求めれば求めるほどエスカレートしていく傾向があるので、注意が必要です。

自己否定がひどくなってくると、周囲の人から拒絶されているといった思い込みがどんどん強くなります。「私は誰からも愛されていない。人として受け入れられていない」といった考えが強くなってしまう場合すらあります。

オレンジタイプのディストレスは基本的には自責や自己否定として表面化しますが、家族やパートナーなど、身近な人に対しては感情を爆発させることがあります。この状態に陥ると理屈ではなく感情で応酬してくるようになるので、周囲は疲弊していってしまいます。本人も感情のコントロールができていない状態ですので、理詰めで説得したり理解させようとしても、建設的な話はできません。いずれにせよ、受容されていないことへのフラストレーションが要因だと考えられます。

オレンジタイプ（アコーダー）との接し方

●表情、トーンを合わす

オレンジタイプは「調和・心情」で世の中を捉えています。思いやりがあり、周囲に嫌われないように他者と接します。そのため、受容されないことに対して大きなフラストレーションを抱きます。

オレンジタイプと接するときは、まずは相手の声のトーンと表情に気をつけます。

特に茶タイプ、青タイプ、赤タイプの特徴が強い人は意識してください。無表情、単語で話す、大きい声を出す、抑揚なく淡々と話す、前振りなく言いたいことだけ話す。これらは茶タイプ、青タイプ、赤タイプにとっては普通のことですが、オレンジタイプには軽い緊張を与えてしまいます。

緊張状態に置かれると、必要以上に周囲に気を配りすぎたり、ミスを繰り返したりしてしまいます。すると周囲からは「何してんの？」と責められてしまうため、さらに委縮し、ミスを繰り返すようになります。

声をかけるときには、優しいトーンで「○○さん」と名前を呼んだり、「いつもありがとう」といった感謝やねぎらいの言葉をきちんと伝えることが必要です。「仕事なんだからやって当たり前」といった感じでドライに接すると、どんどん心がすり減っていってしまいます。まずはオレンジタイプがリラックスできる空間を周囲が作ってあげることで、チームの雰囲気もよくなっていきます。

●ひとりの人として受容する

オレンジタイプは、何よりもひとりの人として受容されることで、心が満たされます。仕事で大きな成功を手にすることよりも、人として受容されることが大切です。

それには「条件付けをしない」という前提がとても重要です。

条件付けとは、「〇〇したら、〇〇してあげる」というような感じで、例えば「あなたが契約を取ってきたならば、あなたを認めます」といったものです。

これだと、相手を受容しているようですが、「契約を取らないと認めてくれないのか……」となり、オレンジタイプが求めている心のつながりではなくなってしまいます。茶タイプや赤タイプは、そんなつもりは無くても無意識に条件付けをすることが多いので、注意しておくと良いでしょう。

チームリーダーとしての適性

気遣いと調和に優れたオレンジタイプは、リーダーとしてもその強みを活かし、強制的な管理ではなく、チーム全体で足並みをそろえながら物事を進めていきます。穏やかでゆとりあるチームが構築されていきます。

収益を上げることを第一に考えるよりも、お客様とのつながりやコミュニケーションを大切にしていくために必要なことをベースにチーム運営することが、モチベーションになりやすいです。顧客との良い関係性を構築する中で成果を出していくので、瞬発性は高くありませんが、お客様に寄り添い信頼関係を築くことができるチームを作り上げていきます。

理想とする形は、お客様とチームに携わる関係者を含めて、お互いが心地よい関係性を構築し、みんなで一緒に物事を成し遂げていけるチームです。

一方で、チームが思うように機能しなくなると、次のような症状が表面化してきます。

○チームや個人に対して、言いたいことを躊躇（ちゅうちょ）する
○チームのみんなに自分がどう見られているかに意識が向いてしまう
○チームのみんなに嫌われないように必要以上に気遣いをする
○必要以上に手を貸したり、先回りして対処したりするようになる
○優柔不断で決断ができなくなり、チームが停滞しはじめる
○頼まれごとを断れなくなり、自分の負担が増える
○頼りたいのに頼ることができなくなり、孤立する

オレンジタイプ（アコーダー）が意識すること

あなたがオレンジタイプの特徴が強い場合、フラストレーションを抱き始めると、周囲の意見を聞きすぎてしまったり、自分の意見を伝えられなくなってしまいます。「周囲に迷惑をかけていないか」「こんなこと言って気分を悪くしてしまうのではないか？」といった考えが強くなると、必要以上に言いたいことが言えなくなります。

みんなの意見をできる限り反映させたいと思い、チームの意見だけでなく、上司のちょっとしたアドバイスやお客様からの意見も取り入れようと奮起しますが、みんな好き勝手なことを言うのでまとまらず、結果的に何も決められなくなってしまいます。

最もよくないのは、誰か特定の人に依存的になってしまうことです。そこには自分の意志が存在しない状態になるので操り人形となり、すべてがおかしな方向へ向かってしまうことが考えられます。

マインドとして、**「無理に周囲に受容されようとしなくても、あなたはあなたのままでいても何ら問題はない」「正当な怒り（みんなが協力しない、わがままを言うなど）は、きちんと怒りを表す」**と決めることです。自分が犠牲になる必要はありません。嫌だと思ったら、我慢せずに何が嫌かを伝えるようにしてください。

黄タイプ（ムーバー）

●フラストレーションを感じる要素

楽しいことができない・させてもらえない／長い時間緊張状態に置かれる／大きな決断を迫られる／過度な干渉／自由が阻害される／論理的な質問をされる／自分の行動の意味を聞かれる／成果を求められる／細かなルールで行動を制限される／責任を押し付けられる／堅苦しい話や理屈っぽい話が長時間続く

今を楽しみたい、やりたいときにやりたいことをする、というのが黄タイプが求めている欲求です。その行動を制限されることは自由の阻害となり、強いストレスを抱く要因となります。

直感や感覚で物事を捉え、天才肌で枠にはまらないクリエイティビティを発揮することがある黄タイプは、過度な干渉や細かなルールを課せられることを嫌がります。

楽しいからやる、といった基準でアクションを起こしている黄タイプに対して、論理的な質問や大儀を問われても、「うるせーなー」となってしまいます。

できる限り自由に今を過ごしたいと思っている黄タイプは、やりたくないことはギリギリまで先延ばしにすることが多く、大きな決断を迫られることはその最たるものです。何かの決断をするということは、決断したことに対して責任が生じ、自由が阻害されることを意味します。つまり今を楽しく自由に過ごすことに反する行為となるため、決断をすることには非常に大きなストレスを抱きます。

フラストレーションのサイン

- ○大きなため息
- ○オーバーアクション
- ○「えー」「もー」といった投げやりな対応
- ○つまらなそうな態度
- ○笑顔がなくなる

●フラストレーションが溜まったときの言動

○頑張ろうとするがやり切れない
○仕事などを途中で放り投げる
○自分が嫌なことは他人に押し付ける

黄タイプはお堅いルールや期限、やらなければならないことが沢山あるなど、制限をかけられ自由を阻害される状況になると、フラストレーションが溜まっていきます。そうして他者や環境のせいにするようになります。

「何とかなるだろう」という楽観的思考が強いので、段取りや読みも甘く、物事を先送りにして、期限ぎりぎりまで対応しないということが頻繁に発生します。楽観的思考はプラスに働いているときは良いのですが、追い込まれた状態になればなるほど、注意が必要です。

状況が悪化しているのは本人も理解しているため、終わらせようと手をつけるのですが、無計画にあちこち手をつけてしまい、収取がつかなくなるということが起き、一向に仕事が終わらないということが発生します。

すると「面倒くさいな〜」と投げ出してしまい、期限を破るということが頻繁に起きるようになります。「こんな仕事をわたしにやれと言った○○が悪いんだよな〜」と責任転嫁して、締め切り前日にも関わらず、遊びに行ってしまい、結局何も終わっていないということもあります。

「誰かやってくれるよね」と嫌なことを人に押し付けてしまい、周囲を混乱に巻き込むなど、「わたしはＯＫ」「あなたはＯＫではない」という立場を取るようになります。

●ディストレス状態の特徴

○聞こえていても聞こえないふり（「え？　わかんない」）
○問題行為、問題発言をして注意を引こうとする
○自分以外に責任転嫁する
○ネガティブに不平不満を言う
○「同意したくない」という理由だけで同意しなくなる
○復讐心を抱く（「あいつのせいだ。いまに見てろよ」）

ストレス状態が続くと、自分に都合の悪いことやわずらわしいと思うことには無関心を装います。聞こえていても聞こえないフリをして、できる限り関わらないようにしようとします。小言を言われたりすると、「ちぇ、つまんねーな」となり、どんどんと悪態をつくようになっていきます。

責任を負いたくない、責任を負うことで自由を阻害されたくない、といった心理が働くので、できる限り関わらないことで責任を回避しようとします。

心がポジティブな状態であれば、うまくいかなかったことがあったとしても、持ち前の明るさとバイタリティーで「切り替えていこう」とポジティブに変換することができます。しかし、ディストレス状態にあると、「うまくいかないのはあなたのせい」「こんな仕事をわたしに任せるほうがダメだよね」といったように、周囲や環境のせいにして責任を転嫁します。

ディストレスが深まると、「あいつばっかり可愛がられて、なんかおかしくない？」といった感じで、まるで子供がだだをこねるように不平不満を言います。

「同意したくないという理由だけで同意しなくなる」というのは、何か明確な理由があるのかと聞かれれば、まったく理由のない行為です。なぜなら楽しくないから、その人が嫌いだから同意したくない、相手を困らせたいというだけなのです。

相手や周囲を混乱させたり怒らせることで、自分の欲求不満を解消しようとします。さらにディストレスが深い状態が続くと、「自分がこんなに楽しくない、思い通りにいかないのは、あいつ（環境）のせいだ」という思い込みが強くなり、「もうどうなってもいい」と投げやりになったり、勝手に逆恨みして復讐心を抱きます。

黄タイプ（ムーバー）との接し方

・軽く声かけをして、ノセてあげる空気感をつくる

黄タイプは「自由・創造」で世の中を捉えています。

部下が黄タイプの特徴が強い場合は、とにかく気分をノセてあげると良いでしょう。

元気がないようであれば、「あれ？　今日は元気ないみたいだけど、どうした～？いやなことでもあった？」と軽い感じで話しかけてあげましょう。

このとき、オレンジタイプと同じく、表情と声のトーンは大切です。茶タイプのように眉間にしわを寄せながら強い口調で話しかけると、「うわ、なんか来た！　逃ーげよっ」となってしまいます。

調子がよさそうであれば、「何かいいことでもあったの～？」とか、「今日もノッてるね〜」と調子を合わせてあげると、気持ちよく仕事をしてくれます。

「茶」や「青」の特徴の強い上司や「黄」が5列目、6列目にある人は、かなり扱いにくく感じると思いますが、自分が直接言わないとしても、それを言い合える空気をチーム内に作れるかどうかがポイントとなります。

黄タイプが楽しそうに仕事できているかというのは、実はチームが円滑に回っているかどうかのバロメーターのひとつでもありますので、意識しておくと良いでしょう。

●ほどよく自由にさせつつ、手綱を握る

ルールや期限をガチガチに決められると、黄タイプは自由を阻害されたように感じ、モチベーションが落ち、すぐ不平不満を言い始めます。

ルールを破ろうとするのは赤タイプも同じですが、強制的に言うことを聞かせようとすればするほど反発してきます。しかし、仕事として取り組む以上、ルールも期限も守ってもらう必要があるので、自分の気分で好き勝手に対応させるわけにはいきません。期限については少しゆとりを持った期限を伝え、「それまでにきちんと仕上げて」とほったらかしにするより、例えば毎日進捗を確認するようにします。

極端な例えになりますが、子どもの夏休みの宿題と同じと捉えましょう。

「宿題やってる?」といった問いに対して、「大丈夫だよ」と答える子供。しかし夏休み終わり直前に宿題が終わっていないことが発覚して大慌て。本人はバツが悪そうな顔をしていますが、「しょうがないよね」と、どこか余裕すら感じさせる。

これを避けるためには、日々確認するしかないのです。確認した後には、「今日はすごい進んだね! やるじゃん」といった感じで、気分を上げてあげると「また明日も頑張ろう!」となりやすいです。

このようなことを研修などで伝えると、「茶」の特徴が強い方から、「そんなに甘やかしたら調子に乗るじゃないか!」というお言葉をいただきます。ただ私は、ぎちぎちに縛りつけて、モチベーションが落ち、生産性が下がるくらいなら、気分よく調子に乗ってもらって、必要なときに手綱をしっかり握り、成果を出してもらったほうが良いと思うのです。

そもそも甘やかしているのではなく、必要なタイミングでその人が心地よいと思う声がけをしているだけなのですが、黄タイプへの声がけはちょっとフランクになりがちなので、どうしても甘やかしているように受け取られてしまうようです。

チームリーダーとしての機能

「面白そうだからやってみる」といった感覚で、新しい発想をどんどんと取り入れながら柔軟な考えのもと、周囲を巻き込みながら自由度の高いチームを構築していきます。ムードメーカーで明るく、一緒にいると楽しい人なので、周囲に人が集まり自然と推進力が生まれていきます。

できる限り自由に仕事に取り組みたいという欲求があるので、あまり細かなルールをつくらない自由度の高いチームになっていきます。

細かな計画を立てるのが得意ではないため、周囲から見ると危なっかしく映りますが、常識に縛られないアイデアがひらめいたりと、周囲を驚かすこともしばしばあります。

得手不得手を理解した上で、補佐的な人を隣につけることで、最大限能力を発揮し面白いチームが作れます。**理想とする形は、自分が興味のあることに取り組み、楽しく自由な発想をたたえ合えるチームです。**プライベートも仕事も全力で一緒に楽しめる仲間がいれば最高です。

一方で、チームが思うように機能しなくなると、次のような症状が表面化してきます。

○チームをまとめようと奮起するが、早い段階で諦めモードに入る
○「気分が乗らないな〜」などと言って周囲に小さな不満を漏らし始める
○いたずらやちょっかいをかけ、周囲の邪魔する
○優先順位など関係なくあちこちに手をつけて、終わらない仕事が増える
○自分がやりたくない仕事を周囲に丸投げし、やりたい仕事しかやらなくなる
○やるべきことに手をつけず、先延ばしにしようとする
○クリエイティブな発想も出ず、チームをまとめる元気もなくなる
○「このチーム面白くないな。他に面白いことないかな」と意欲や興味を失う
○あからさまに不満を表面化させ、周囲に責任転嫁しようとする

●黄タイプ（ムーバー）が意識しておくこと

あなたが黄タイプの特徴が強い場合、フラストレーションを抱き始める要因は、周囲から自由を奪われる言動を受けることです。

「ルールを決めて！」「どうすればいいの？」「計画を立てて」など、自分が楽しいと思わない作業的なことを急かされたり、決断を迫られたりすると、気分がどんどん下がってきます。

チームが機能しているときは、チームの雰囲気も良く活発に機能しますが、自由度が高いチームは個人裁量に任せる要素が強くなるので、一度歯車が狂い始めると、空中分解しやすいというもろさもあります。

「青」が5列目、6列目にある黄タイプは、隣にサポートしてくれる人材を置くことで、非常に輝き出します。例えば「青、オレンジ、黄」の組み合わせや、「青、黄、緑」などの組み合わせ、「茶、黄、青」など、3列目以内に「青」と「黄」が入っていると理想的です。

マインドとしては、**「とにかくやる」と決めることです。**責任を負ったからと言って自由を阻害されるわけでもありません。誰かのせいや環境のせいにしても、何も変わりません。だから、とにかくやると決めるのです。

緑タイプ（ソーサー）

フラストレーションを感じる要素

ひとりで空想にふける時間や空間を邪魔される／唐突に感情や感想を聞かれる／自発的な行動を促される／「テキパキ動け」と言われる／にぎやかな場所や空間／抽象的な指示をされる／大人数で一緒に事を行う／熱のこもった議論の場／誰かの仲介役などを頼まれる

ひとりで内省する時間を味わい楽しむことができるのが緑タイプの特徴です。そのためにぎやかな場所や、多くの人と関わることを特に求めませんし、必要としません。もちろん人との関わりを持ちたくないということではありませんが、じっくりと内省する時間を邪魔されることは、他タイプが楽しいと感じることを邪魔されるのと同じだと思っておくとよいでしょう。

緑タイプの特徴は、常に受動的であることです。例えば映画を見て感動を覚えたとき、他のタイプは「この映画は感動する！」と思うのに対し。緑タイプは「この映画に感動させられた……」とあくまで受動的な受け止め方をします。

また、一度自分の中で反芻（はんすう）する時間を必要とするため、瞬発的な話のやり取りは苦手です。話の途中で突発的に「〇〇さんはどう思う？」と、意見や感想を聞くと、反芻する時間がないので、とっさに答えることができません。この状態が繰り返されると、話しているほうもリズムよいやり取りができずにフラストレーションがたまってきますし、緑タイプもプレッシャーでどんどん無口になっていくため、お互いネガティブな心理状態へと陥ってしまいます。

自分の世界観を持つ緑タイプは、基本的には内側に意識が向いており、外部からの働きかけをきっかけとして、アクションに移すことが非常に多いです。

何か指示を受けるときに抽象的な伝え方をされることは、自分の内側と外側の橋渡しが上手くいかないことを意味するので、大きな戸惑いを生み、何をどうすればいいいのかわからなくなり、固まってしまいます。

●フラストレーションのサイン

○口数が極端に少なくなる
○反応が鈍くなる
○話しかけられてもすぐに返事をしない
○硬直する
○周囲との接触を減らす

●フラストレーションが溜まったときの言動

○無口になり何も言葉を発しない
○ますます受け身になり何も行動に移せなくなる
○人形のような無表情。感情を感じないようにする

緑タイプは受動的で、他者からの働きかけにより行動に移していきますが、**仕事の指示をされても、それがあいまいな指示だったり、仕事を急かされたり、ひとりの時**

間を確保できない状況になると、ディストレス状態に陥ります。

自己表現をあまりしないソーサーは、フラストレーションが溜まってくるとどんどんと自分の内側にこもり、無口になって言葉を発しなくなっていきます。内側の世界と外側の世界を隔てるような感覚になり、質問などをしてもまるで他人事のように、言葉もぶつ切りで答えることが多くなります。

また、突発的な出来事に対しても混乱してしまうのですが、わかりやすい形で動揺を表に出さず、どんどん無表情かつ無口、さらには無反応になっていってしまうので、相手の怒りを増長させてしまうことが起きます。そのような状況になり、問い詰められれば問い詰められるほど、まるで固まってしまったかのように、何も対処できなくなるという負の循環に陥ります。さらにそれが続くことで、「わたしはＯＫではない」「あなたはＯＫ」という立場で、自分の中に引きこもってしまいます。

ディストレス状態の特徴

○目を一切合わせない
○物理的に人との距離を置く（仕事中トイレにこもって出てこない、など）

○何かを始めても終わらない
○メール、電話への対応をしない（「自分は存在しないものとして扱ってほしい」）
○ひとり取り残される（「私は不要な存在だ……」）

緑タイプはディストレス状態に長く置かれると、周囲に人がいても一切の関わりを取らないようになります。もともと目を合わして話すことは好みませんが、一切目を合わせなくなったり、声をかけても上の空といった感じです。

また、仕事中にトイレにこもって出てこなくなったりといったことが起こります。

ディストレス状態がひどくなると、物事に取り組もうとしても進まずに、最後まで達成させることが難しく、結局途中ですべてが止まってしまうようになります。黄タイプの「あちこちに手を付けて収拾がつかなくなる」というのとは異なり、物理的に手つかずで、物事が進まなくなる感じです。それを繰り返すので、すべてが中途半端な状態になります。

この状態がさらに続くと、人との交流を断つようになり、物理的にも精神的にも「いないものとして扱ってほしい」となり、外界との交流を断絶しようとします。ディストレスの最終段階として、自分の空想の世界だけにこもり、自分の存在を無い物としてしまうようになります。何の前触れもなく会社を去ったり、誰にも何も伝えずに引っ越しをしたり、全ての関係を突然断つこともあります。

緑タイプ（ソーサー）との接し方

●ひとり内省する時間と空間を確保する

緑タイプは「内省・想像」で世の中を捉えています。内省を好む緑タイプは、騒がしい場所や多くの人と関わらなければならない空間に身を置くことが苦手です。その時間が続くほどフラストレーションを抱きます。反応が薄くなり、表情も暗くなり、仕事も集中力がなくなってきます。

そんなときは、一旦その環境から物理的に離れてもらうことが必要です。例えば、会議室でひとりで仕事をしてもらう、在宅ワークをしてもらう、といったことでパフォーマンスが上がることがあります。

勘違いしてほしくないのは、人といたくないわけではないということです。例えばオレンジタイプや黄タイプが仲間と談笑して気持ちを切り替えるのと同じで、緑タイプはひとりで自分と向き合い内省する時間を求めているということです。

また、突発的な質問などを避けるため、会議などで議題や質問内容がわかっているのであれば、事前に伝えておくことでしっかりとしたものが返ってくるでしょう。

私の会社で以前働いてくれていた従業員で、緑タイプの特徴が強い、非常に優秀な方がいました。

その方と話すときは、何を話してもすぐに返事がなく、2テンポ、3テンポ遅れて返事が来ます。はじめのうちは「本当に理解しているのかな?」と不安になっていたのですが、誰よりも丁寧に仕事を仕上げてくれていました。スピードは速くはないのですが、細部まで理解し丁寧に仕事をこなしてくれる、そんな人でした。

各タイプそうですが、その人が心地良いと感じるテンポというものがあります。自分のペースを押し付けるというよりは、相手のテンポに合わせて対峙することは、コミュニケーションではとても大切だと思います。特に緑タイプに対しては、テンポと声のトーンを大切に接してあげることは、能力を最大限に発揮してもらうには必要だと理解してください。

●具体的かつ明確な指示をしてあげる

単語で話す、大きい声、前振りなく言いたいことだけ話すといった接し方は、オレンジタイプ以上に苦手です。

また、黄タイプや赤タイプに多いのですが、「何となくこんな感じでやっといて」と抽象的に話すと、緑タイプは混乱してしまいます。**「○○の資料から△△についてのポイントをまとめて、□時までに私宛にメールで提出してください。不明な点があればメールで質問してください」といったように、具体的かつ明確な指示を心がけてください。**

「○○してください」とか「○○の対応をお願いします」と明確に指示をすることが必要です。「○○してもらっていいですか？」という言い回しは、確認なのか依頼なのか判断がつきづらく、緑タイプにとっては混乱する要因になります。

感情を表に出すことが少なく、周囲からは何を考えているかわからないと思われがちですが、非常に心優しく、物事を一生懸命我慢強く成し遂げようとしてくれます。適度な距離を保ちながら、相手の特徴を理解し接することで、チームにとって縁の下の力持ちとして、非常に心強い存在となってくれます。

もちろん、勘違いしてほしくないのは、本人は縁の下の力持ちになろうと思っているわけではないので、「あなたは縁の下の力持ちね」といった、変に決めつけた扱いをするのではなく、その人が持つ能力を最大限に発揮できる環境をあたえるようにしてください。

チームリーダーとしての機能

自己主張をあまりしない特徴を持つ緑タイプは、一見リーダーの立場に置かれることに向いていないと思われますが、そんなことはありません。

もちろん向き不向きはどのタイプでもあるので、例えば新規事業のリーダーなどを緑タイプに任せるというのはハードルが高い面があります。ただ、安定した組織で今後も実直に仕事を進めていく必要があるチームなどは、緑タイプのようなタイプがリーダーになることで、これまでと同じようにしっかりとした運営が可能です。

逆に赤タイプや黄タイプがこのようなチームのリーダーになってしまうと、急に改革を始めたり、ルールを自分が働きやすいように勝手に変えてしまうなどして、チームが瞬時に崩壊してしまう可能性があります。

緑タイプの特徴が強い経営者をひも解くと、初めから強い信念や理想をもって経営者を目指したというよりは、周囲のご縁で経営者となって結果を出している方が多いです。緑タイプは物事をじっくりと積み重ねられる我慢強さと共に、哲学的思考や優れた洞察力を持っているので、そういった要素に気づいた周囲が上手に導いてくれるのではないかと、わたしは思います。同じようにチームリーダーとしても、周囲に活かされるリーダーとして力を発揮すると思います。

理想とする形は、これまでの安定した業務をしっかりと引継ぎ、実直で堅実な業務を行うチームを作り上げていくことです。

一方で、チームが思うように機能しなくなると、次のような症状が表面化してきます。

○チームや個人に対して距離を置く
○反応がなくなり指示や伝達すべきことができなくなる
○優柔不断で決断ができなくなりチームが停滞しはじめる
○どんどんと自分の内側にこもるようになる
○チーム全体が方向性を見失っていく
○会社に来なくなりいつのまにかいなくなる

●緑タイプ（ソーサー）が意識すること

リーダーとして緑タイプがフラストレーションを抱く要素は、予期せぬトラブルが起きたときと、環境の変化が生じたときです。ひと言でいうと大きな変化が起きると混乱します。波風を立てずに、平穏な日々を過ごしたいと思っている緑タイプにとって、とにかく変化は大敵です。

上司や組織形態が変わり、やり方が刷新される。我が強かったり、言うことを聞かない部下が配属される。仕事内容が突然変わる。取引先の担当者が癖の強い人に変わる。こういう予期せぬトラブルなどは、その場で対処法を判断したり決断したりしなければならないので、かなり負担になります。

緑タイプは、まずこのような事態が起きたらどのようにするかを、ある程度シミュレーションしておくと良いでしょう。誰に助けを求めるか、どのような行動指針で物事を判断するか、といったことを決めておくだけでも思考停止を免れられます。

緑タイプが混乱したときには、まず一旦時間を取ることです。状況を自分の中に落とし込み把握するのに、少し時間的余裕が必要です。部下に緑タイプがいて混乱しているようであれば、時間的余裕を与えてあげてください。

マインドとして、**「我慢をしすぎる必要はない（感情を表に出してよい）」「時間をかけてよい」**と決めてください。環境が変わり、自分がリーダーとしての役割を全うすることが難しいと思ったら、それを我慢せずに「難しい」と伝えても大丈夫です。その際、なぜ難しいと思うのか、改善してほしいことは何か、といったことをきちんと伝えられると良いでしょう。

単純に「難しい」とだけ伝えると、「何をどうしていいか言って！」と、質問攻めに遭い、より答えに窮してしまいます。

仮に、あなたの部下に緑タイプがいて、その部下が何らかの意思を伝えてきたならば、「こういうことを聞きたいから、〇日に聞かせて欲しい」と伝え、考える時間を与えてください。

赤タイプ（ブレイバー）

フラストレーションを感じる要素

行動を抑制される／すぐに決断しない人／すぐに行動しない人／刺激と興奮を取り上げられる／勝負事に負ける／みんなと同じ扱いをされる／みんなと同じことをさせられる／親密な関わりを求められる／単調な作業／決まりを守らされる／自分より下だと思っている人からの命令／段取りや裏付けを聞かれる／考えを聞かれる／チャレンジできない環境／前置きが長い話／人にコントロールされる

赤タイプは考えるよりも行動で表現することを良しとするため、チャレンジさせてもらえなかったり、行動を制限されたりすることは、すべてのアイデンティティーを否定されることと同じですので、大きなストレスを抱きます。

自分は他人とは違う、自分は特別だと思っています。それは自分で物事を打開できる力を持っているからなのですが、**だからこそ、みんなと同じように扱われたり、自**

分じゃなくてもできるような仕事をさせられることを嫌います。

損得、勝ち負けといった概念を強くもち、競争を好みます。群れを成すのは弱さの表れと捉える傾向があるため、他者と親密な関わりをもったり、みんなで力を合わせるよりも、手段を選ばず自分ひとりで結果を出せると思っていますし、極端に言うと、結果を出した人間が一番だと考えています。

赤タイプは交渉上手で臨機応変に物事に対応することができます。瞬発力もあり自信に満ち溢れていて、自分で物事を突破し打開していく力があります。そのためチームで足並みをそろえるよりも、単独で結果を出すことを好みます。主導権は常に自分が持つという考えを持っており、他者からコントロールされることを嫌います。

●フラストレーションのサイン

○聞こえないふり（軽く無視）
○普段以上のスタンドプレー
○鼻で笑う（バカにした感じ）
○反抗的で攻撃的になる

○**普段以上に単語で話すようになる**

フラストレーションが溜まったときの言動

○**自分の思うようにコントロールしようとする**
○**他者に強さを求めるようになる。人を無視する**
○**「自分でやれ」と必要なサポートをしなくなる**

赤タイプは、常に自分が優位に立とう(主導権を取る)とする心理を持っています。ポジティブなときは強いリーダーシップとなって表現されるのですが、**フラストレーションが溜まってくると、相手をコントロールしようとしたり、「自分のことは自分でやって」と突き放す言動が多くなったりします。**

またフラストレーションが溜まる要因として、行動に制限がかかった状態を挙げることができます。これは刺激が枯渇した状態と捉えることができるのですが、通常の刺激が足りないと、間違った刺激を得て、欲求を満たそうとします。間違った刺激とは、例えば誰かを困らせるような言動をしかけたり、組織を混乱に陥れようとしたりすることが挙げられます。

他者をコントロールしたり混乱を招く行為は、自分の主導権を誇示する行為であり、無意識にイニシアティブをとることで欲求を満たそうとします。「わたしはＯＫ」「あなたはＯＫではない」といったスタンスが強くなります。ひとりで戦うのは強さの象徴でもあるため、その強さを他者にも求めるようになり、「自分のことは自分でやって」といった態度を表します。

もともとスタンドプレーで行動を起こし、結果を出していくタイプなので、周囲と歩調を合わせたりすることはまどろっこしいと思っています。だからこそ、フラストレーションが溜まっている状態になればなるほど、自分ひとりで結果を追い求めたほうが良いという考えが強くなります。

「自分でやれ」というスタンスは、必要な情報を周囲に渡さないということでもあります。こうなってくると建設的なチーム運営は難しくなってきてしまいます。

●ディストレス状態の特徴

○ルールを破る
○自分に都合良く話をすり替える
○裏工作をして、仲間を裏切ったり組織を混乱させたりする
○自分の言い分を強引に通し、意見を聞かない
○相手を見捨てる（負け犬に用はない）

交渉術に長け、臨機応変に対応することができるのが赤タイプの特徴でもありますが、ストレス状態に陥るとその能力をネガティブな方向で活かすようになります。

例えば都合よく話をすり替え、自分を優位的ポジションに置くなどして、自尊心を満たそうとしたりします。

決まりごとは破って当たり前、「自分はルールに縛られない特別な存在だ」「勝てば官軍！（結果を出せばすべてＯＫ）」と思っている節があります。だからこそ周囲を気にせず、どんどん行動を起こして結果を出していくことができるのですが、ディストレス状態ではその考えがより強くなります。

例えば「それはルールと違う」といった話をされると、「それは誰が決めたの？」といった戦闘モードに入り、「それはそっちの都合でしょ？」と聞く耳を持たなくなったりします。はじめは文句を言うつもりはなかったとしても、いつの間にか自分の意見を通すことで、勝ち負けを競うことが目的になっている場合があるのです。

行動の抑制や刺激的なことを取り上げられている状態になると、刺激の欠乏を新たな刺激を生み出すことで満たそうとします。

例えば「ちょっと聞いたんだけど、○○さんはあなたのことをよく思ってないみたいだよ」と言って、裏工作をして仲たがいを誘発し、組織内を混乱させるなどして、刺激を求めるようになります。さらに、2人の間を取り持つ形をとって、結果的に自分を優位な立場に置いてしまうということをします。これを裏でやられると、組織は混乱に陥ってしまう可能性があります。

強いストレスが続くと、相手を切り捨てるようになります。赤タイプは損得で物事を捉える傾向が強いのですが、ストレス状態が続くと、それがさらに強くなり、「あなたから得られるものはもうない、用はなくなった」と、バッサリ関係を切ることが多いです。

また、常に勝ち負け、強者弱者という視点で物事を捉え、自他に物事を打破する強さを求めているため、結果を出せない相手やはっきりしない相手を負け犬とみなし、「負け犬に用はない」と見捨てるようになります。

赤タイプ（ブレイバー）との接し方

●行動と挑戦をさえぎらない

赤タイプは「行動・刺激」で世の中を捉えています。**考えるよりもまず行動を起こすことで、物事を動かしていきますので、それを阻害しないことが大切です。**平穏を嫌い、チャレンジ、チャンス、ハイリターンといった刺激的要素を好むので、新規事業や大きな案件の営業担当など、変化と刺激に富んだ仕事を任せると力を発揮します。

みんなで一緒に物事を作り上げていくというよりは、単独行動を好みます。茶タイプや青タイプの上司から見たら、ムーバー同様少し扱いにくいと感じますが、ガンガン動いているときは、動きをさえぎるようなことは避け、できる限り支持してあげてください。

青タイプから見たら非効率に見えることも多々ありますし、茶タイプから見ると、単独行動が多くチームの輪を乱しているように見えますが、結果を出せばすべて良しと捉えられると、本当に大きなチャンスをモノにする時があります。

もちろん、最低限のルールをきちんと守ってもらうことは必要ですので、「自由に動いていい代わりに○○と○○は必ずやること」「○時～○時は好きに動いていいけど、それ以外の時間は他のスタッフのサポートをすること」といった条件付けで、ある程度のことは目をつむるというやり方も一考してみるといいでしょう。条件付けは黄タイプにも効果があります。

●話はスパッと端的に

赤タイプにとっては、結論から話す、単語で話す、言い切る、といった感じでのやり取りがとても心地よいので、そのように接するのが良いです。

また、行動を促すときは「○○をやってください」「○○の状況を伝えてください」と明確に指示で話すようにしましょう。

基本的には、内的な動機づけよりも外的な動機づけのほうが、行動を促す要因となります。例えば、「自分の中にある社会貢献の思いを形にしよう」といった内面から溢れる要素よりも、「あなたにしかできない」「あなただからお願いした」「こんなチャンスは今逃す手はない」と外から働きかけてあげるほうが燃えます。ハイリスク・

ハイリターンであったり、報酬が大きかったり、劣勢に追い込まれれば追い込まれるほど力を発揮します。逆境に強いタイプと言えます。

オレンジタイプや緑タイプの要素が強いと、単語や言い切りで物事を伝えるようなやり取りに抵抗があるかもしれませんが、気を遣ったもったいぶる話し方をしていると、だんだんと言うことを聞かなくなっていきます。

赤タイプは行動思考で、「やってみなくちゃわからない」と思っているため、決断も早いです。「できるかできないか」と考えるよりも「やるかやらないか」と考えるので、青タイプのように、まずは情報を集めて精査してからどうするかを決めるといったやり方に対して「いーから、やれよ」と感じます。茶タイプが理念や大義を一生懸命語っていたとしても、「うるせーなー」と思っています。

ある程度方向性がきまったら、「じゃ、やってみよう！」「さあ、君の出番だ！」と先発隊として動いてもらいながら、上手に援護できれば十分に力を発揮してくれるでしょう。

●チームリーダーとしての機能

赤タイプは持ち前の交渉力と要領の良さ、物怖じしないメンタルと行動力で周囲を巻き込みながら物事を突破していきます。即断、即決、即行動でチームを細かく管理するというよりは、「みんなついてこい！」と背中を見せながらチームをまとめ上げていくイメージです。

停滞した組織に改革をもたらしたり、新規事業の立ち上げや、大きなプロジェクトなどで特に力を発揮します。朝令暮改は当たり前、トライアンドエラーを繰り返しながら結果を手繰り寄せていくので、非常にスリリングで面白いチームを作り上げることができます。

理想とする形は、基本は個人で挑戦できるチームです。ハイリスク・ハイリターンにチャレンジでき、成果が目に見える形で競い合えるチームを目指します。

一方で、チームが思うように機能しなくなると、次のような症状が表面化してきます。

○チーム内でのコミュニケーションが少なくなる
○必要な情報などを自主的に開示しなくなる（「知りたいならお前から聞きに来い」）
○大きなことを言うが、実態と結果が伴わず迷走していく

○ギャンブル要素の強いプロジェクトの立上げや大口契約を狙おうとする
○契約のためなら、ルールや条件を勝手に変えるなど手段を選ばなくなる
○駄目だと感じたらチームから離れ、責任をできる限り負わないようにする
○チームを離れたら「あのチームはもうだめだよ」「会社がダメだな」と吹聴する
○「あの人が○○って言ってたよ?」と、チーム内で仲間割れを誘発する

赤タイプ(ブレイバー)が意識すること

赤タイプがフラストレーションを抱く要因として、自分が思ったような結果を導き出せなくなり、周囲からの求心力が薄れていると感じることが挙げられます。

赤タイプは常に自分が優位に立ち主導権を握り、物事を進めていくことを好みます。求心力の低下は主導権を失うことになると捉える傾向があるので、求心力の維持と同時に自己の評価を下げないためにも、新しいことに取り組もうとしたり、大きな結果を出そうと奮起します。それ自体は悪くはないのですが、一発逆転を狙うなどかなり危うい面を持ちます。

どうやっても成果が出なそうだと感じ始めると、責任を誰かに擦(なす)り付けて責任逃れ

をしようとしたり、チーム内で不仲を誘発させようとしたりすることで、不満を間接的に表面化しようとします。赤タイプが持つ行動力というエネルギーは、ネガティブに向くと、チーム崩壊など悪い刺激を求めるようになるので注意が必要です。

マインドとして、**「必要な助けはきちんと求めてよい」「不安を口に出すことは正当な感情だ」「勝ち負けにこだわらなくても、誰もあなたの評価を下げることはしない」**と捉えることができれば、活力あるチームを構築していくことが可能です。

ダブルバインドはディストレスのサイン

本章の最後に、すべてのタイプに共通する注意点のひとつとして、「ダブルバインド」という概念についてお話しします。ダブルバインドに限らず、タイプに関係なく他者を不快にしたり混乱させたりする言動は沢山ありますが、心の状態がよくないときに起きやすいトラブルの例として捉えていただければと思います。

ダブルバインドは「二重拘束」といって、矛盾したメッセージを届け、相手を混乱に陥れ、強いストレスを与えることにつながる行為です。家族間、学校、会社など、いたるところで「ダブルバインド」は起きています。

例えば「わからないことがあったら聞いてね」と言っていたのに、聞きに行くと「そんなことは自分で考えて」といったやり取りです。多くの人が似た経験を持つのではないかと思います。

ダブルバインドは、言葉だけでなくしぐさや表情などでも無意識に行われます。例えば「わかった、その案でやってみよう」と言っているのに、表情はどこか納得していない場合なども、ダブルバインドと捉えることができます。特にまだ業務になれていない新社会人などに対して頻繁に行われると、下手をすると退職の要因になりかねませんので注意が必要です。

ダブルバインドは、言われているほうは、「それ、ダブルバインドですよね」と言いにくいですし、言っているほうは気づいていない場合が多いのでやっかいです。

ダブルバインドが起きている状況をひも解くと、仕掛けている側（ここでは先輩とします）の心理状態が良くないケースが非常に多いのです。「仕事が立て込んでいた」、「少し落ち込んでいた」「気分がノッていない」などの状況下でダブルバインドは起きやすいです。

例えば転属してきた後輩に「わからないことあればいつでも聞いて」と伝えていたとします。そしてある日、あなたの仕事が立て込んでいて、ある資料の締め切り間近のときに、後輩から「○○について教えて欲しいのですが」と聞かれたとします。

その時、「今かよ！」とか「おいおい、空気読めよ」とか「それはちょっと調べればわかることでしょ？」とか「そんなこと聞きに来ないでよ」と思う確率は非常に高いでしょう。思った時点で表情に出ているはずなので、相手もそれは感じ取っていると思ってください。

その場合、「ごめん、後にしてもらえる？」とか「ちょっと自分で調べて」といったやり取りがあると思います。日常では当たり前のように繰り返されている光景なのですが、こんな状態が続くと後輩もだんだんと「聞いてもしょうがないよな」とか「聞きにくいな……」とか「邪魔したくないからやめとこう」となり、円滑なコミュニケーションが取れなくなっていきます。

締め切り間近で心理的に余裕がないときに声をかけられると、さらに心の状態は悪いほうへ振れていってしまいます。するとイラッとしたり、「対応してあげなきゃ。でも、この仕事も終わらせなきゃ」といった感じで勝手に板挟み状態になってしまう人もいるでしょう。もしくは「相手にしてられないから、勝手にやってよ」と丸投げしてしまうかもしれません。

そして後から、「あんなふうに言わなきゃよかった」とか「ちゃんとできたかな。でも今さら確認しにいくのはちょっと……」とか「必要ならまた聞きに来るでしょ」など、勝手にモヤモヤしたり、放置してしまう人もいるかもしれません。

ただ、はっきり言えることは、どのタイプであっても、締め切りなどに追われた状態ではない心がポジティブなときに声をかけられていたら、何の問題もなく質問に答えていたはずです。人と接するときは心の状態がどこにあるかで、大きな影響を与えてしまうというのがよくわかるかと思います。


さて、どのように回避すればよかったのでしょう。後輩が声をかけたタイミングは一旦置いておきます。

第一に、「いつでも聞きに来て」は良くない答えです。また、締め切りに追われる状態にあることで、心理状態が良くないのもトラブルを生む要因です。ただ、締め切りなどに追われるケースは仕事をしていれば必ずあることなので、仕方がない面も多いでしょう。

対応策として、例えば、「○時〜○時の間は質問を受け付けます」といった感じで時間を区切っておく。簡単な質問はチャットに記載させる。デスクに「今はダメ」の札を置いておく。こういったように、他者からの侵入を防ぐための手立てをあらかじめ打っておくことも必要かと思います。

いずれにしても、心理的状態が良くないときというのは、無意識にトラブルの種をまき散らしているということを理解しておく必要があります。

第4章

メンバーが
最高に輝く
チームをつくる

01 タイプ別フォローからの行動への導き方

ここでは、メンバーがネガティブな状態にあるときに、どのようにフォローすればいいのかを考えます。相手の気持ちを和らげることはもちろんですが、その先に新しい行動やチャレンジが生まれるように導きましょう。

茶タイプ（ディレクター）

プロセスを認めながら、結果を受け入れ、どのようにしていけば良いのか意見を出し合い、互いが納得した上で結論を導き出す。変に相手を気遣い、調子を合わせて自分が思っていないことに同調すると、後から信頼を失うきっかけになるので注意。

青タイプ（コンセプチャー）

結果からなぜ上手くいかなかったのかを客観的事実に基づきヒヤリングし、一緒に分析する、それらをエビデンスとして蓄積すると同時に、次の打ち手の情報を集め、計画を立て直す。このとき、「こういう基準で動いたほうがいいな」と、こちらが主導するより、「こういう考えはどうだろう？」と、最終的に本人に決めさせるような声かけをするように心がける。

オレンジタイプ（コンセプチャー）

感情に共感し、一旦気持ちを落ち着かせてあげる。相手にトーンを合わせながら「なぜうまくいかなかったのか」を事実と感情を分別しながら聞き、どのように対処すればいいかを一緒に決めていく。このときも感情と事実を分離して話を進めるようにする。

黄タイプ（ムーバー）

外から見るとあまり気にしてないように見えるので、「本当にわかってるのか？」と、こちらが感情的にならないようにする。そのうえでなぜ上手く行かなかったのかを一緒に考え、どのように対処すればよいかの提案をする。「1案と2案、どちらがいいと思う？」といった感じで答えがあるものを選ばせ、最終的に本人が決めたようにしてあげると、当事者意識も強くなり、成長につなげられる。

緑タイプ（ソーサー）

本人の反応が非常に薄くなっているので、問い詰めるようなことはしない。順を追って出来事について質問していく。じっくりと時間をかけて相手のペースに合わせ、曖昧な問いかけはしない。話の腰を折らないことも重要。事実確認をした後で、それらを踏まえてどのように対処したほうが良いかを考える時間を数日取ってあげる。時間が足りないときや、良い回答が得られない場合は、こちら主導で何をどうすればいいかを指示する。

赤タイプ（ブレイバー）

結果に対して細かな分析や議論を重ねるよりも、「なぜ、こうなったか」「次はどうするか」を聞き、方向性が合っていれば実践させる。方向性が異なっていれば、端的に異なっていることを伝え、効果的な手法を伝え実践させる。このとき、青タイプや黄タイプと同じように、自分で考えて答えを導き出したように仕向けることが必要。例えば、ヒントをいくつか伝えると、赤タイプは自分が思いついたように結論を出して、次のアクションにつなげる。

チーム構成の基本はグラデーション

メンバー全員がポジティブな状態で、同じ目的意識をもち、足並みが揃っている。そんなチームであれば、思考タイプの違いはそれほど意識しなくてもいいでしょう。なぜなら、ポジティブな状態のときは、他者への気遣いや協力などが自然とできることが多いからです。

ただし、チームや組織は時間が経つとともに、足並みが揃わなくなっていきます。どんな人にも感情の浮き沈みは必ずあり、周囲に良くない影響を及ぼす状況が生まれてきます。

多くの研究結果でも発表されているように、負の感情は伝播します。メンバーに負の感情が生まれ始めたときは、1対1での対話を実施したり、チームを再編成するなど、対処が必要になってきます。

そのときに思考タイプを活用できれば、働きやすい環境を構築することができますし、生産性も向上していきます。ここでは、思考タイプを基に、どのようなチームを構成するのが良いか、絶対的な正解はありませんが、そのコツをお伝えします。

チームを組むときは、グラデーションで構築することが理想的です。

例えば、特徴の強いほうから順に「黄、オレンジ、緑、茶、赤、青」の人と、「青、赤、茶、緑、オレンジ、黄」といった真逆の人が対峙すると、お互いフラストレーションを抱きます。前者は「心情や感覚的なことを理解してくれない、話していても楽しくない」と感じていますし、後者は「感情や気分中心の話ばかり、論理的かつ建設的な話ができない」と考えます。

ひと言でいうと「共通言語」が違うのです。 これだけタイプが異なると、本書の知識がなくても、客観的に「かみ合ってないな」と感じることができるレベルです。1対1でこの形を取ってしまうと、お互いの意図が非常に伝わりにくくなります。

この場合、「黄、オレンジ、緑、茶、赤、青」の人に対して、左の3列が「黄、青、オレンジ」や「オレンジ、茶、黄」など、同じ色が2色入るなどの相手と組み合わせると、接しやすくなります。特に、「黄」が1列目にある人には、「黄」を使える人が接するとよいでしょう。

例えば、4人のチーム構成で次のようにチームを組めると、思考タイプがグラデーションとなり、色が近しい人同士が上手に通訳（つなぎ役）として機能してきます。

Aさん「黄、オレンジ、緑」
Bさん「オレンジ、青、黄」
Cさん「青、オレンジ、赤」
Dさん「青、赤、茶」

もちろん、各自の価値観や人間性なども影響してくるので、このような組み合わせをすればすべて上手くいくということではありません。しかし、共通言語が異なる人同士が物事をやり取りするのは、どうしても意思疎通が難しくなります。

また、次のような組み合わせのチームを考えてみましょう。

Aさん「黄、オレンジ、緑、茶、赤、青」

Bさん「黄、オレンジ、茶、赤、緑、青」
Cさん「青、赤、茶、緑、オレンジ、黄」
Dさん「青、赤、茶、オレンジ、緑、黄」

この場合、類似の2パターン（A、BとC、D）に明確に分かれています。すると、かなりの確率で無意識に「Aさん、Bさん」と「Cさん、Dさん」に分かれやすくなります。

お互いが気持ちよく仕事を進められていれば、気にせずそのままで問題ありません。しかし対立の構図が生まれたり、力関係がどちらか一方に偏ってしまうようであれば、少し変化を起こす必要があります。

真反対の特徴を持つ人同士の組合せはあまりお勧めできませんが、AさんとCさん、BさんDさんをセットにして互いを意識させるなど、組み合わせをシャッフルさせながら仕事を進めていくといいでしょう。

結果を早く出したいときは「赤」を上手に活用する

新規のプロジェクトなどで、早急に成果を出したいときなどは、とにかく機動力勝負になる場合が多いと思います。

そのときは、「赤、青、茶」「青、赤、黄」など、**1列目あるいは2列目に「赤」を持つ人に最前線に立ってもらいます。**「赤」の特徴は、「チャレンジ、ハイリターン、自分にしかできないこと、勝ち負け、競争」といった要素が強ければ強いほど燃えます。そのあたりも踏まえて、特別にインセンティブをつけたりチーム戦にしたりすると、成果を出しやすくなります。

そうして、「青」の特徴を持つ人が戦略を立てたり仕組み化したりして、煩雑になる事務処理を「オレンジ」や「緑」の特徴を持つ人が引き受ける、などといった後方支援の形を取るのが良いでしょう。

この際、後方支援に回る人たちは、フロントに立つ人たちが気持ちよく仕事できる

ように心がけると、さらに良い結果を生み出すことになります。青タイプや茶タイプは、「何で立てた戦略どおりにやらないんだ！」といったことは言わずに、「戦略通りに動いてもらうにはどうするか」を考えましょう。

例えば、日報や「報連相」（報告・連絡・相談）が滞るようであれば、翌日の朝イチで報告する時間を必ず確保します。そこで話を聞いて日報はこちらで書くなど、条件付けするなどしていくと良いでしょう。

ただ、このチーム編成は、瞬発力はあるのですが持続力がありません。

「赤」の特徴の強い人は、成果が出るのが鈍くなったり、自分の思うようにいかなくなってくると、昨日までの勢いが嘘のように手を抜いたり、突然チームを離れたりするなど、空中分解してしまうといったことが起こります。勢いよく動いてもらいながら成果が出ているうちに、どんどん仕組化や業務の把握（引継ぎ）をし、赤タイプがいなくなっても大丈夫なようにしていかないと、後から大変なことになります。

その人の色の組み合わせを意識する

単色での思考パターンの特徴を理解しておかないと、日常でなかなか活用しにくいので、本書ではひとつの色に特化して特徴をお伝えしています。ただし、実際は単色の特徴だけ前面に出ているかというと、それほどわかりやすくはありません。**多くの人は色が切り替わったり、いくつかの色が混ざり合ったりして表面化されています。**

私の場合は、前3列が「青、赤、黄」となっていますが、「青」の特徴だけが強いかと言えばそんなことはなく、「赤」の特徴も「黄」の特徴もかなり強く出ます。

例えば今まで「黄」モードで楽しく話していたのに、「それ結論から話して」と急に赤モードになったり、それまで論理的に話していたのに、「そんな感じで何となくいける？」と、急に感覚的な感じで伝えたりということが非常に多いです。チーム内で色の並びを共有している場合は、「出た、黄色！」と言われつつ、話を進めていくことが日常です。

これは単色の特徴が切り替わっているので、理解していただきやすいと思います。
では混ざり合った状態の特徴はどうなるか。向いている作業なども含めてお伝えしていきます。

プログラミングや研究など、タスクをこなすような作業が多く、**じっくりと安定した組織を作りたいときは、「青、緑、茶」といった色の特徴を持つ人たちを中心にチームを組むと良いでしょう。**

「青、オレンジ、緑」など、「青」と「緑」にプラスして「オレンジ」の要素が3列目以内にある人がいると、お互い居心地の良いチーム編成となるでしょう。

これも各色の特徴を理解しているとイメージがつきやすいと思いますが、問題解決のためのタスクをこなすことが得意な「青」、単調な作業でもじっくりと取り組むことができる「緑」、達成のためにやり遂げると決めたことと向き合える「茶」、といった特徴が混ざり合っているので、プログラミングなどに向いているというのを理解いただけると思います。

「茶、赤、青」の色の組み合わせは、ビジネスカラーと呼んでいます。

目的意識・大儀・信念・粘り強さの特徴を持つ「茶」、行動力・挑戦・勝負へのこだわり・損得・要領の良さを持つ「赤」、論理的思考・分析・分類・タスク管理といった特徴を持つ「青」。ビジネスで求められる要素を比較的使いやすい色の組み合わせと捉えることができます。

ただ、このタイプの組み合わせが、実際にビジネスで圧倒的に成果を出しているかと言えば、もちろんそんなことはありません。

ビジネスでは他者との兼ね合いが必ず必要になります。ビジネスで必要と言われている要素を使いやすいことはもちろんマイナスにはなりませんが、成果を出すための力はまた異なります。

「黄、オレンジ、赤」の組み合わせは、ノリが良い人、みんなで楽しいことをするのが好きな人。「楽しむのが上手なタイプ」と呼んでいます。

今を楽しむことが得意な「黄」、人と関わることに対して能動的な「オレンジ」、刺激を楽しめる「赤」。これらの特徴が、今を楽しめるタイプと捉える要素です。

このような背景を考えると、このタイプはとにかく気分を乗せてあげればあげるほど、高いパフォーマンスを発揮することが望めるというのを理解してもらえると思います。

ここに記載した例は、ほんの一例ではありますが、**色の特徴を理解することができれば、組み合わせを上手に活用することで、効果的なチームを構築することが可能になります。**

もちろん、本書の知見を深く理解し、特に思考タイプ本診断を実施している人同士であれば、ここまで細かく考えなくても良いチームは作れると思います。ただ、すべての人が知見を深めるわけではないので、理解している人同士が、戦略の一環としてチーム編成するときのヒントとしていただければと思います。

第5章

お互いに「受容」と「尊重」をできるチームに

全方位から支持される人になる

働き方が大きく変わり始めた現代、終身雇用は望めなくなり、転職が流動的になり、起業の選択肢も増えました。

転職や部署移動などのタイミングというのは、相手もこちらに対して、良くも悪くも興味の対象として捉えます。好意的に受け入れてくれる人もいるでしょうし、能力を試してくる人もいるでしょう。このような環境が変わるタイミングというのは、自分の評価を大きく進化させることができる絶好のタイミングでもあります。

本書では、人の思考パターンを可視化し、効果的な接し方をマスターするノウハウについてお伝えしました。誤解を招いてしまうかもしれませんが、**人の扱い方を知ることで、「全方位から支持される人」となることができます。**少なくとも、無駄に敵を作ったり、人間関係のトラブルを生じさせたりすることは、避けられるようになります。

ビジネスには、必ず人が介在します。ひとりではビジネスで成果を出すことはできませんし、人を評価するのは、結局は人です。周囲から支持され協力を得られるほうが、圧倒的に有利なのは当然でしょう。

もちろん、仕事をきちんとこなすという前提はクリアした上の話ではあります。しかし少なくとも本書で伝えていることを知ることで、優位に物事は進んでいくようになるはずです。

特に有益なのは、新しい関係性ができるときです。私は仕事を進めるうえで、基本的にプロジェクトごとにチームを組みます。自社で新規プロジェクトを立ち上げる際は、外部の人たちとその都度、チームを組むことが多いです。

また企業から新規事業などの相談を受ける場合は、企業の中にプロジェクトチームを組んでもらいます。自分が外部の人間として入り込むので、アサインされるメンバーの能力やモチベーション状況が見えてこないというのが、初期の段階で注意していく点になります。

いずれの場合も、初めから色の話をしてタイプ診断ができる状況であれば良いのですが、全員に行うこともできません。これを少しでも解消していくために、まずは対話をする時間をもらいながら色を確かめていく、という流れが多いです。

自分の体験からの感覚になりますが、**思考タイプの違いを知るようになってから、**

何倍も人間関係を構築するのが速くなりました。また、どのような仕事をお願いすればいいか、こちらが何をすればいいのかもわかりやすくなります。

理想的な人間関係の行き着く先は、「信頼関係」です。信頼関係を構築するには時間がかかり、簡単に築いていけるものではありません。しかし良好な人間関係を築くことは、本書で伝えている知識とやり方さえ理解してしまえば、それほど難しいことではありません。

私は、自分が無理をしてまでみんなに好かれる必要はないと思っています。とはいえ「なんか苦手だな……」と思われるよりも「よさそうな人だね」と思われたほうが、仕事を進めていく上で非常に効率的ではないでしょうか。

100の仕事量を1人で対応するよりも、5人で対応したほうが圧倒的に負担が減りますし、効率的です。**コスパ（コストパフォーマンス）、タイパ（タイムパフォーマンス）といった言葉が多く使われている今、もっとも効果が高いのは良好な人間関係を構築するスキルだと思うのです。**

「わかりあえない」ことを、わかろうとする

近年では、「多様性」という言葉が多く使われるようになりました。

多様性という概念の中には、人種や国籍やSOGI（性的指向・性自認）といった表層的な「多様性」、価値観や嗜好や宗教観といった深層的な「多様性」、その人が育ってきた背景などで構築された人格など個の「多様性」、地域・家族・会社などその人が持つコミュニティーなど関係性の「多様性」など、非常に多くのものが含まれます。

こうしたいろいろな多様性を受け入れようと言われているわけですが、人それぞれが持つ価値観や背景は異なります。そのすべてを「わかりました、受け入れましょう」というのは簡単ではありません。「理解できない部分」や「わかりあえない部分」がどうしても出てきます。

それなのに、多様性が叫ばれているからと空気を読んで、「受け入れているフリ」をして、我関せずと見て見ぬ素振りをしたりすることは、あまりにも無責任だと思うのです。

私はまず、「わかりあえない」という前提に立って、他者と向き合うことがとても大切だと思っています。

それは、わかりあうことを諦める姿勢ではありません。わかりあえないという前提に立つからこそ、わかりあおうとする。そのために本書のような、わかりあえるための（わかろうとする）ツールが生きてきます。

わかりあえないからこそ、わかりあおうとして、結果的に傷ついてしまうこともあります。その背景には依存や支配という要素が少なからず隠れている場合があります。簡単に言うと、わかろうとしているのではなく、わからせよう（わかってもらいたい）としていることが多いのです。つまり、相手を受容するのではなく、自分を受容させようとしている状況です。

わかりあえないからこそ、わかろうとする。でもわからない所もある。私はそれでよいと思うのです。「この部分はわかるけど、こっちはわからない。でも、全部含めてあなただし、私だよね」というのが自然ですし、真の受容なのではないかと思うのです。

他人を受容できるようになると、物事をフラットに捉えることができるようになります。「なぜこういうことをしないんだ」「こうするべきだ」「それはおかしいでしょ」といった捉え方がなくなります。つまり、相手と異なる部分を、正しい／間違い、正義／悪と捉えるのではなく、「そういう捉え方をするんだね」「私にはわからないけど、そういう考え方もあるんだね」と、単なる違いと捉えられるようになる。

そのうえで必要なのは、その違いに敬意を表して大切にすることです。自分とは違う点があるからこそ、チームにとって欠かせないメンバーであり、自分とは違う点で価値を生み出すことができる。メンバー全員に対して、そうした「尊重」をできることが、リーダーの最も大切な役割です。

私の場合は、自分との差異を楽しんだり興味を持って質問したりすることが多いです。結局、どう受け取るかは自分次第であって、他者の考えを批判する必要もないし、意見を押し付ける必要もない。正しく受容できるからこそ、物事に対する捉え方や考え方を尊重することができるようになると思うのです。

コミュニケーションのフレームワーク

人は失敗したときや、思うように行かなかった時、それが自責なのか他責なのかは別として、どこかで理由を探します。

「あの時、あんなこと言われたからだ」
「もっと早く、ここをこうしておけばよかったな」

その解像度を高めていくほど対策案が明確になり、次に生かすことができます。私はその思考から生まれたものを、「仮説」と呼んでいます。

仮説の精度をより高めていくには、多角的な視点が必要になります。これも経験による要素が影響しますので、まずはフレームワークなども含めて、ある程度、基準値のようなものを用意しておくと良いと思います。

さて、ビジネスで成果を出すためのフレームワークは非常に注目されるのに、人と交わるために活用できるフレームワークは、あまり注目されないようです。

「うまく話せなかった」「なぜ怒られたのかわからない」「傷つけてしまったかな」といったことは、誰にでもあるはずです。**ビジネスフレームワークと同様に、失敗の経験を生かして次なる仮説を立てられるとよいのではないでしょうか。**

あるいは、「あの人ちょっと苦手だな……」「なんか嫌い」といった感情を抱いたことは誰もがあるはずです。ちょっと言い方がきつい、いつも怒っているように見える、いつもふざけているように映るなど、苦手な理由は受け手によって変わります。

しかし、言い方がきついのも、怒っているように見えるのも、その人が持つ特徴のひとつだとわかれば、少しは楽に接することができるのではないかと思うのです。生理的に無理というのもあるので、一概には言えませんが、大部分は解決するように思います。

セミナーや研修で、思考パターンの話をしている途中で、ほぼ全員が「身近な人は何色かな?」と考え始めます。「あの人、何色だろう?」と思った瞬間から、実は相手を理解しようとしているということではないでしょうか。

苦手な人の色を考える場合もあるのですが、「なぜあの人は、ああなのだろうか？」という理由を探している時点で、その人が見ている景色を感じ取ろうとしているのです。

苦手な人を受け入れるかどうかは、心情の部分もからむのでまた別の話ですが、少なくともその人の言動の理由は、心では理解できなくても、理屈としては理解できるかもしれません。

私は「この人、何色かな？」と思うことが、「受容」のはじめの一歩だと思うのです。その人が見ている景色を、意図的になぞろうとすることが、他者への受容の始まりです。


このように、**思考タイプを理解するというのは、コミュニケーションにおけるフレームワークを知るということです。**好き／嫌いといった感情は大切ですが、感情で物事を冷静に判断することができなくなることを避け、客観的な視点からも適切な対応ができる可能性を高めるのです。

まずは自分を受容する

「受容」とは、他者に向けて使われることが多いと思いますが、まず自分自身を正しく受容することが必要です。なぜなら、自分を正しく受容してあげられない人が他者を受容することはできないからです。

自分を受容できていない状態で他者を受容するということは、ドアが開いた状態の家のようなもので、自分の意志とは関係なく、勝手に他人の出入りを許可している状態と同じです。その中には泥棒もいるでしょうから、自分の大切なものを持って行かれてしまうようなことも起きてしまいます。傷つくのは自分です。

自分と他者の違いを正しく受容することができるからこそ、その違いを初めて尊重できるようになります。そして、自分を受容するためには、自分を理解することが大切です。「他者との違いを理解しましょう、尊重しましょう」ということが至る所で言われていますが、何がどう異なるのかを理解できる人は実は本当に少ないです。

まず自分自身はどのような思考の傾向があるのかを理解します。

○どのようなことに対して感情を動かされるのか
○どうすることが心地よいのか
○どのような言葉をかけてもらえると嬉しいのか
○どのような対応をされると嫌なのか
○どんなことを愛おしいと感じるのか
○どんなことにストレスを感じるのか
○ストレスを感じるとどうなるのか
○気分が良くないとき、どのような態度を取るのか
○どのような思考の枠組みで物事を捉えているのか

こうした自分の考え方に加えて、態度、しぐさ、声のトーン、といったことを含めて理解する。さらに、それらをまとめて言語化する必要があります。自分を客観的に把握することで、初めて受容するための土台ができあがるのです。

ただ、それをゼロから自分で言語化していくのは、非常に手間がかかりますし、どうしてよいかわからないこともあるでしょう。その答えを導き出すツールのひとつとして、本書をご活用いただければと思います。

05 人をジャッジしない（I am OK, You are OK）

私たちが心豊かに日々を過ごすためには、「自分も他者も正しく受容する」というスタンスでいることはとても大事だと思います。

人生成功のスタンスとして、以下の4つのパターンがあります。

①「わたしもOK」「あなたもOK」

この立場は精神的にとても健全な状態です。

自分と他者の存在価値を同じように捉え、重要なものとして受容している状態です。良好な協力関係を築き、問題や課題解決に向け真摯に向かい合うことができ、受容と尊重のもとに真の自己実現を成し遂げることができる可能性が高まります。

人生成功のスタンス・4つのパターン

③「わたしはＯＫではない」「あなたはＯＫ」	①「わたしもＯＫ」「あなたもＯＫ」
④「わたしはＯＫではない」「あなたはＯＫではない」	②「わたしはＯＫ」「あなたはＯＫではない」

②「わたしはＯＫ」「あなたはＯＫではない」

この立場は、他者を受容することなく、批判的な立場を取っている状態です。

「自分はできている」「自分は頑張っている」「自分は優秀だ」「なんで自分ばかり」といった立場で物事を捉え、ねたみ・ひがみ・そねみといった感情を抱いている状態と考えられます。

他者よりも優位に立とうとしたり、支配しようとしたり、優越感を得ることで自分の承認欲求を満たそうとします。同時に、自分がうまくいかないのは他人のせいだという感情も抱きます。

他者との意見交換の場などでは、懐疑

的、批判的な物言いになったり、意見の押し付け、威圧的、論破したり上げ足を取ったり、必要な手を貸さないなど、建設的な話し合いが成立しにくくなってしまいます。

③「わたしはOKではない」「あなたはOK」

この立場は、自分を受容することなく必要以上に自分と他者を比較し、劣等感、自分の能力の否定、無力感、悲観的、著しく消極性を欠いた状態です。

自分がどれほどダメなのか指摘されるような言動を無意識に繰り返し、「自分は必要のない人間なんだ」という歪んだ思い込みを固めることで、間違った承認欲求を満たそうとします。

他者に依存的になり、自分で思考することを放棄し、問題や課題に対して取り組むことを避けようとするので、解決に向けた話し合いが成立しにくくなります。

④「わたしはOKではない」「あなたはOKではない」

この立場は、人生や社会に希望や感心を失ってしまった状態です。

人生は虚しいもの、無価値、絶望感といった感情を抱き「人生なんてどうなっても構わない」と世の中を捉えている状態です。自暴自棄になっていたり、物事に興味関心を抱いていない状態ですので、建設的な話しあいを望むことはできません。

注意が必要なスタンスの組み合わせ

前述した4つのスタンスについて、チーム内での組み合わせに注意が必要です。

①「わたしはOK」「あなたはOKではない」と「わたしはOK」「あなたはOKではない」

この組み合わせは、他者を受容しない状態にあります。互いに他者をコントロールしようとしたり、イニシアチブを取ろうとしたりします。関係が悪化すると足の引っ張り合いになり、他人の失敗を喜ぶような状況に陥りかねません。

そのとき関係性が拮抗していれば、互いの意見をぶつけ合うことができますが、上司部下、先輩後輩といった縦の関係性があると、相手を押さえつける構図になってしまいます。

すると相手は反抗（退職も含む）するか、自信を失い「自分はOKではない、あなたはOK」という立場を取るようになります。結果的にその人の自主性を奪うことになっていきます。支配したほうは優越感を得るかもしれませんが、これでは人は育ちませんし、良いチームを築いていくことはできません。

②「わたしはOK」「あなたはOKではない」と「わたしはOKではない」「あなたはOK」

この組み合わせは、極端に言うと支配する側と支配される側の構図となります。

この構図を望む人もいますし、それを感じ取って意図的に自分に依存させようとする人がいますが、どちらにしても健全ではありません。支配が続くと自主性や思考することを奪ってしまうので、指示待ち人間を育成してしまうようになります。

この構図の怖い点は、一見良好な関係性に見えるところです。一方では支配することで偽物のリーダーとしてのふるまいを取る人がいて、一方では従順なフリをしている関係性ができている。心の中では「嫌だな」と思いながらも、「黙って言うことを聞いていればいいんでしょ」「どうせ言ってもムダでしょ」といった諦めの感情を抱いていたり、判断を他者に委ねてしまっている。それなのにもかかわらず、第三者から見ると、うまく組織が回っているように見えます。

百歩譲って、経営者が圧倒的に権力を握っていたり、変化を求めない事なかれ主義の組織であれば、これでもよいかもしれませんが、優秀な人や成長意欲が高い人は物足りなく感じてしまいます。結果的に衰退に向かって行ってしまうのではないかと思います。

③「わたしはOKではない」「あなたはOK」と「わたしはOKではない」「あなたはOKではない」

この組み合わせは、互いに判断を委ね合うので物事がなかなか進みません。互いに遠慮しあい、相手を尊重するふりをしていれば、責任といったリスクを負わなくて済みますし、他者に受容を求めあうことで、相互依存的な関係性になることがあります。この関係性を居心地よく感じている人が多いのも事実ですが、やはり健全ではないと思います。

「自己肯定感」という言葉を耳にする機会が増えましたが、自己肯定感が低い人の特徴は、「わたしはＯＫではない」と、自分を正しく受容できていないことが考えられます。

正しく自分を受け入れてあげられないと、どうしても誰かに物事の決断を委ねてしまうことになるので、どこか他人の人生を歩んでいる感覚を抱き、心が満たされにくくなってしまいます。

小さなことでもよいので、自分が決めたことに都度意識を向け、「自分がイニシアチブを握っているんだ」ということを感じ取るようにするとよいと思います。

④「わたしはＯＫではない」「あなたはＯＫではない」と「わたしはＯＫではない」「あなたはＯＫではない」

このスタンスは自暴自棄の状態であり、このような人たちは社会から自ら関係を絶っていくため、他者と交わることは少ないと言えます。しかし今はネットなどで繋がることができてしまいます。極端な話では、集団自殺などに発展してしまうことがあります。

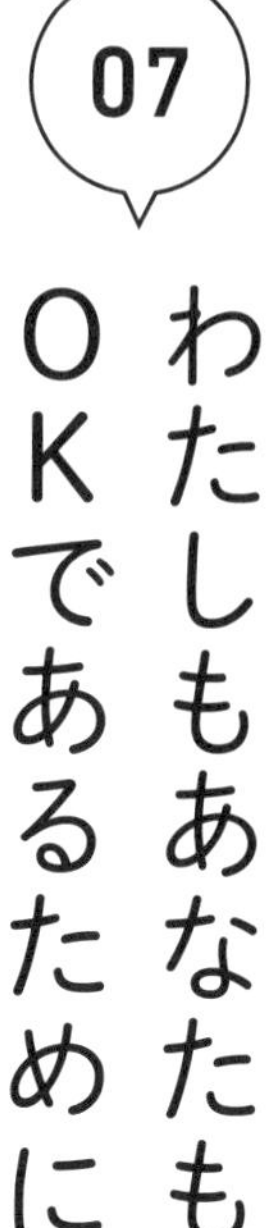

07 わたしもあなたもＯＫであるために

理想としては、「わたしはＯＫ」「あなたもＯＫ」というスタンスを取り続けることです。しかし、日々さまざまなことが起こる中で、そのスタンスを取り続けるのは簡単ではありません。それに、へこんだり、イラッとしたり、愚痴を言ったりするほうが、人間味があって面白いと思います。

４つのパターンの右下や左上の立場を、瞬間的に取ってしまうのは仕方がないと思いますが、「わたしもＯＫ」「あなたもＯＫ」という立場をできる限り長くとり続けるためには、まずそのスタンスでいようと意識することが大切です。

「わたしもＯＫ」「あなたもＯＫ」に軸足を置きながら、さまざまな状況を受けて、望んではいないが「わたしはＯＫ」「あなたはＯＫではない」と「わたしはＯＫではない」「あなたはＯＫ」を移動してしまうことは、とても人間的だと思います。

そのうえで、例えば「あー、あんなこと言わなきゃよかったな」とか「もっとちゃんと伝えればよかったな」など、ちょっと振り返るタイミングで、自分がどのスタンスにいたかを考えることが大切なのではないでしょうか。

他者を受容できていないときや、自分を受容できていないときは、「どんな心理状態だったか」「なぜそうなったのか」「どうすればその状態を回避できたのか」、それらを反芻することで、人としての深みが増し、自己成長を望むことができます。

もちろん、この概念を身近な人たちと共有できれば、お互いが常に「わたしもあなたもＯＫ」の位置に軸足を置こうと意識するので、良好な関係を築き維持することが望めるのではないかと思います。

私はビジネスで成果を出せていなかったとき、成果を出している人と自分を比べて、「こんなはずじゃない。自分はもっとできるはずだ」と思っていました。そして、結果を出している人に対して、「あの人はたまたま運が良かっただけだ」とか「どうせ誰かに媚び売ってんだろう」とか「絶対俺のほうがすごいのに」と、自分のことは棚に上げ、他者を批判ばかりしていました。

今思うと恥ずかしいのですが、そういう嫉妬心をもっていることや、「わたしはＯＫ」、「あなたはＯＫではない」というスタンスになっていることに気づかないのですね。だから自分が成果を出せていないのは、「周囲が認めてくれない」とか「今いる環境が良くない」とか、そんなことばかりに目が行ってしまっていたのです。

　それを反骨精神と捉えることができるかもしれませんが、「自分はまだまだだから頑張ろう」と、他者に関係なく自分に対しての反骨であればよいと思うのです。自分が理想とする未来に向かって歩むのに、他者と比べたりねたんだりする必要はないと私は思うのです。

メンバー全員が「自然体」でいることの価値

人は多面性を持つ生き物です。社会学や心理学では「ロール（役割）」や「ペルソナ」と呼ばれます。

例えば、父や母としての役割の自分、上司や部下としての役割の自分、友人と過ごしている時の自分、趣味に没頭しているときの自分など、表面化する性格（使う言葉や思考、物事への感じ方）は異なっていると思います。

また、人は集団の中にいるときや個人でいるときとで、言動や考え方を変えることが多くあります。

例えば私は研修や講演をさせていただく機会がよくあります。受講者の方々にみんなの前で「何か質問はありませんか？」と聞いても反応がないのですが、名刺交換のときには堰を切ったように質問を受けるということが少なくありません。

グループチャットで伝えてくれればよいことを、個別チャットで確認してくるということもあると思いますし、会議の中では発言をしないが、会議が終わってから意見を伝えてくる、といったこともよくあります。

逆にチームの中ではみんなを鼓舞してくれるのに、個別で話をすると弱気なことを口にする人もいます。個別では良い意見を出してくれるのに、会議が始まった途端、第三者的な立場になってしまう人などもいますよね。これらも多面性の一部と言えます。

簡単に言うと、性格にもTPOがあり、人はそれを意識的もしくは無意識的に使い分けているという感じです。本書も6タイプを用いて説明しているので、多面性の分類解説と言えるのかもしれません。

この多面性というのは、上手に使えば円滑な関係構築に大いに役立てることができるのですが、別の角度から見ると次のように捉えることができます。

それは「人は平気で嘘をつける」ということです。「嘘」というと少し語弊があるかもしれませんが、「人は他者が望む形を、過度に演じることができてしまう」ということです。

例えば、「怒られないように」「怒らせないように」「認めてもらいたい」「見返したい」といった感情が強くなりすぎると、過度に相手が望んでいるであろう姿を演じようとしてしまいます。

そんな姿は疲弊を招くだけで長続きさせることはできませんし、第三者から見れば非常に不自然です。どこかで「わたしはOKではない」、もしくは「あなたはOKではない」になっているのではないかと思います。

もちろん円滑に物事を進めていくためには、相手に不快を与えないようにすることは大切なのですが、それは「怒られないように」とか「認めてもらいたい」ということではなく、自分と他者に対して「受容と尊重」ができていれば、自然と良い関係を構築することができるのではないかと思うのです。

チーム構築も同じで、相手が自分に過度に合わせてくれる状態というのは、自分は楽かもしれませんが、相手には無理をさせている状態と言えます。逆も同じです。それではもちろん、建設的な意見のやり取りは難しくなってしまいます。

人を動かしながら、動かされる

私は、チームとして成果を出す上で、その時々でリーダーシップを発揮する人が変わることがとても大切だと思っています。パワーバランスが偏り、誰かひとりがチームを引っ張り続ける状態では、他の人たちの主体性を正しく発揮できなくなることが多いです。

例えば、勢いよく物事を進めるときには、「赤」の強い人がリーダーシップを発揮する、効果検証をするときには「青」の人が率先して行う、うまくいかないときは「黄」の人がムードメーカーになればいい。

ということは、自分がリーダーシップを発揮するときには、上手に人に動いてもらうことが大切だということなのです。一方で、誰かがリーダーシップをとるときには、上手に動かしてもらわなければいけません。

人は他者を自分の思うように動かしたいという欲求を持ちます。

「話を聞いて欲しい」「理解して欲しい」「行動に移して欲しい」「納得して欲しい」「受容して欲しい」「求めて欲しい」「褒めて欲しい」「評価して欲しい」「認めて欲しい」など、思考、感情、行動、すべての面で他者を動かそうとしています。

これらは「影響力」といった言葉で表されることもあります。自分が影響力を行使したいのと同時に、相手も影響力を行使したいと思っています。つまり、**コミュニケーションとは、「影響力」の受け渡しを行うことで成立している**と捉えることができるのではないでしょうか。

「綱引き」をイメージしてください。お互いが綱を引きあっている状態は、膠着と捉えることができますし、均衡と捉えることもできます。ただこの状態では永遠に物事が動き出すことはありません。

また、どちらかが一方的に綱を引いた状態や一方が綱を引かない状態、あるいはどちらも綱を引かない状態は、綱引きとして成立しません。お互いが適度に綱を緩めたり引いたりしながら綱を張った状態が、綱引きの正常な形になるのではと思います。

そう考えると、多くのビジネスの場面で使われる、「人を動かす（動いてもらう）」ということは、一面からは正しいと思うのですが、同時に「人に動かされる（動かしてもらう）」ということも考えなければならないと思うのです。

上司や部下といった立場に関係なく、コミュニケーションは影響力の受け渡しで成り立っている。そう考えると、立場や年齢に関係なく「人に上手に動かされる」というポイントは、ひとつのスキルとして非常に重要になってくると思います。

特に**価値観の多様化などにより、選択肢が細分化され複雑化していくこれからの時代は、自分が人を動かそうとするだけよりも、自分を上手に動かしてもらうことで、柔軟に変化に対応できるのではないかと思います。**

「俺をもっと上手に使え」という上司や先輩がいないでしょうか。しかしそう言われても実際どう扱っていいかわからないし、相談に行くと「そんなことで俺を使うな」と言われたりもします。

しかし、上司は本心から「自分を使え」と言っている場合もあります。思考タイプの違いからズレが生じてしまうわけで、その違いをあらかじめ共有しておけば、お互いに動かし、動かされるという関係性を構築できます。本書は、メンバーそれぞれの取扱説明書となるのです。

おわりに

最後まで読んでいただき、ありがとうございました。

いま、どんなメンバーのことを思い浮かべているでしょうか。本書を読む前には、ただ「扱いづらい部下」「苦手な人」「何を考えてるかわからない」と捉えていたものが、現段階ではそれぞれを「色」で認識できるようになっていると思います。

ぜひ、明日接するときに、本書の内容を実践してみてください。これまで「理解できない」「自分とは違う」と思っていた相手の考えていることや感じていることが、少し理解できるようになるはずです。


本書に書いた内容は、「対処法」です。課題があり、それを解決するための方法。ビジネス書なのだから当たり前のことのように思えますが、ここが重要です。

対処するためには、「原因」がわからなければいけません。これまで、みなさんはメンバーとのコミュニケーションがうまくいかない「原因」をわかっていなかったはずです。

それが、6つの思考タイプを知ることで、少なくとも「原因」を理解できたはずです。すぐに完璧な接し方ができるわけではありませんが、実践を重ねていくなかで、必ず上手な接し方をできるようになってきます。それにより、いままで大きな課題となっていた「コミュニケーション」に邪魔されず、リーダーシップを発揮できるようになります。リーダー本来の仕事に集中できるわけです。

リーダーに本当に必要なものは何でしょうか。

さまざまなものが考えられますが、私は「人間力」だと思います。では、人間力をどう培えばいいかというと、ベースになるのは「経験」にほかなりません。

そう聞くと、「結局、がんばるしかないのか」と思うかもしれません。正直、その通りです。「これを覚えれば一気に解決」といった魔法の杖は存在しません。一つひとつ課題に向き合い、クリアしていく。それは、物事がうまくいかない原因を見極め、対処していくことです。

そして、仕事をする上での課題の多くは人間関係です。みなさんは、リーダーにとって最も必要な人間力を培う上で、最強の武器を手に入れました。最高に楽しく、やりがいを持って働き、お互いを支え合うチームをつくっていってください。

さて、本書の執筆に際しては、たくさんの方々にご協力いただきました。

一般社団法人認識交流学会理事、行政書士の柴田香里さん、協会総研の吉村司さん(https://kyokaibz.com/)、ＩＴ顧問の相馬正伸さん、講師の星野由季菜さん、桑原由佳さん。本当にありがとうございました。そして多くの知見を与えてくれた各方面の専門家の方々に、感謝いたします。

最後に、本書を手に取っていただいたみなさんに、感謝申し上げます。人間力に満ちたリーダーが溢れ、もっともっと元気な世の中になっていくことを願っています。

２０２４年１月　中村青瑚

読者特典

　ここまで読み進めていただいたあなたに、プレゼントを用意しました。
　認識交流学の講座で使用しています、６タイプの早見表と響く言葉集をダウンロードいただけます。他にも認識交流学検定やシークレットプレゼントをご用意しておりますので、ご興味ありましたらご登録ください（プレゼントは予告なく終了する場合がございます）。

https://ctac.or.jp/present_leader

著者プロフィール

中村青瑚 （なかむら・せいご）

一般社団法人認識交流学会 学長。

20代で廃業・借金を経験したことで、実践的な知識の必要性を感じ、マーケティングやセールスなどを独学で学ぶ。そこにビジネスの現場で得たリアルな情報を組み合わせ、独自のメソッドを確立。

それらをもとに、32歳で立ち上げた服飾事業で地域一番店を構築。事業拡大で株式上場を目指すが東日本大震災などの影響で挫折。

その後、リサイクル事業で全国規模の組織を構築。現在は複数の事業やサービスを展開する現役の事業家として、職種を問わず「最小限のリソースで最大限の利益を得る仕組み」に関する講演や事業相談を受ける。クライアントは国公立大学や上場企業をはじめ300社を超える。

また、人の消費行動分析や顧客との信頼関係構築、組織マネジメントの手段として、人間性心理学・行動心理学・認知科学・行動経済学などの分野への造詣も深い。

それらの知見を土台に、他者との円滑な関係性構築と自己成長を目的とする「認識交流学」を建学。「ロコミのみ」で広がり、企業研修などにも取り入れられている。

受講者からは「これほど実践的な心理学の応用は初めて」「上司とのやり取りに苦労しなくなった」「顧客のニーズを読み取れるようになった」「自分の内面に納得できた」といった声が多数寄せられている。

著書に『言えない　聞けない　伝わらない　コミュニケーションのもどかしさがなくなる本』（イーストプレス）などがある。

講座情報・思考タイプ本診断はこちら

●認識交流学会ホームページ　「認識交流学会」で検索　▶

https://ctac.or.jp/

●従業員活躍支援ツール「FeelFull（フィルフル）」　▶

https://feelfull.net/

スタッフ

出版コーディネート：小山睦男（インプルーブ）

ブックデザイン：平塚兼右（PiDEZA）

イラストレーション：津久井直美

うまくいく
チームリーダーのマニュアル

メンバー全員の能力を
最大限に引き出す最強の教科書

2024年1月31日　初版第1刷発行

著　者　中村青瑚
編集人　河田周平
発行人　佐藤孔建
印刷所　三松堂印刷株式会社
発　行　スタンダーズ・プレス株式会社
発　売　スタンダーズ株式会社

〒160-0008
東京都新宿区四谷三栄町12-4　竹田ビル3F
営業部　Tel.03-6380-6132　Fax.03-6380-6136
https://www.standards.co.jp/